劉福春・李怡 主編

民國文學珍稀文獻集成

第四輯

新詩舊集影印叢編　第146冊

【洪為法卷】

他，她

1. 南京：花牌樓書店出版部 1928 年 3 月初版
2. 上海：芳草書店 1929 年 4 月再版

洪為法 著

【廣州文學會卷】

嬰屍

香港：粵港受匡出版部 1928 年 4 月 1 日出版

廣州文學會 編

花木蘭文化事業有限公司

國家圖書館出版品預行編目資料

他，她／洪為法 著　嬰屍／廣州文學會 編 -- 初版 -- 新北市：花木蘭文化事業有限公司，2023〔民 112〕

54 面／158 面；19×26 公分

（民國文學珍稀文獻集成・第四輯・新詩舊集影印叢編　第 146 冊）

ISBN 978-626-344-144-6（全套：精裝）

831.8　　111021633

ISBN-978-626-344-144-6

9 786263 441446

民國文學珍稀文獻集成・第四輯・新詩舊集影印叢編（121-160 冊）
第 146 冊

他，她
嬰屍

著　者　洪為法／廣州文學會 編
主　編　劉福春、李怡
企　劃　四川大學中國詩歌研究院
　　　　四川大學大文學學派
總編輯　杜潔祥
副總編輯　楊嘉樂
編輯主任　許郁翎
編　輯　張雅淋、潘玟靜　美術編輯　陳逸婷
出　版　花木蘭文化事業有限公司
發行人　高小娟
聯絡地址　235 新北市中和區中安街七二號十三樓
　　　　電話：02-2923-1455／傳真：02-2923-1452
網　址　http://www.huamulan.tw 信箱 service@huamulans.com
印　刷　普羅文化出版廣告事業
初　版　2023 年 3 月
定　價　第四輯 121-160 冊（精裝）新台幣 100,000 元　

他，她

洪為法 著

洪為法（1900～1970），生於江蘇揚州。

花牌樓書店出版部（南京）一九二八年三月初版，

芳草書店（上海）一九二九年四月再版。原書六十四開。

他，她

他，她

洪爲法著

上海
芳草書店

中華民國十八年四月再版

1——1500冊

每冊實價大洋一角五分

(一)

獻　　詩

朋友，倘若我能長眠，
這裏有我的遺言，
憑你如何去評題，
我總準備着領受了——
那種種異樣的酸鹹。

這究竟是一段纏綿，
久與我的生命相連。
生命將盡的如今，
怎不任寫在紙上，
作千秋三峽的哀猿？

〔1〕

(二)

我原是個窶人,
就不應有所施與;
你眼中不已告訴我,
我倆才是終身的伴侶?

祇不過逝去些春光,
豈風就將殘紅欺侮。
你十五以後的月亮啊,
有什麼的寒玉來補?!

〔2〕

（三）

我要和你並坐，
我和你是一個。
禮教是個什麽，
誰還怕牠的棄唾？

自有着我的帆舵，
風波怎敢來顛簸？
自有着我的雙肩，
誹議正好來擔負。

這不是什麽舛錯，
早甘心將牠來做。
誰說是褻瀆了人生啊，
請他罷，望望然而過：

〔3〕

(四)

倘使我倆能夠——
　避入人迹罕到的幻洲。
眺望着水天相接，
　度過了歲月的悠悠。

倘使我倆能夠——
　避入人迹罕到的幻洲。
在你心頭尋覓到我的世界，
　憑他憂絲，縈繞我四週。

倘使我倆能夠——
　避入人迹罕到的幻洲。
飢與渴無所關懷，
　看喲，海上正翔着對對沙鷗！

倘使我倆能夠——
　避入人迹罕到的幻洲。
等浪花洶湧到足前，
　一切的一切喲，交給罷，上帝去
　度收！

（5）

（五）

獻君一曲歌，
進君一甌酒；
區區此兩物，
　願祝千春壽。

酒中盈吾淚，
　苦味縈君口；
請更聽悲歌，
　長嘆復搔首。

予我歡樂多，
　慰我悲哀久。
年光不可留，
　感念情親厚。

〔6〕

夜夜此青天，
　璀璨爲星斗，
永印君之心，
　生前並死後！

〔 7 〕

（六）

西方是個霞海，
　霞海中有隻小舟搖擺．
什麼都交給牠罷，
　化做西方的虹彩．

東方是個光海，
　光海中有輪明月搖擺．
什麼都交給牠罷，
　化做東方的虹彩．

〔8〕

(七)

眞 誠些的訴說罷，
你才是我的戀人。
雖說非是異性啊，
心頭的愛苗，
爭奈是種得深深！

你曾赧然受過我懷抱，
脣邊又曾留下過我的哀痕。
你該體會到這股幽衷啊，
心頭的愛苗，
爭奈，爭奈是種得深深！

我這愛苗已將花兒開成，
偏沒結成個美果，

〔9〕

該是誰管定我的命運了，
　再還到那兒去閃躲？

啊啊！囊中剩有了淚珠萬顆，
　在澆灌着不盡的情火；
有一日能澆灌熄了罷，
　墳墓就好前來吞沒了我！

(八)

是現實的世界與我爲讎，
連你也欺凌來了啊；
我失却了抵拒的勇力，
雙手伴着淚眼搓磨！

那眞比似一泓的秋水，
是曾愛戀過你的雙眸。
又有永恆不能忘懷的，
你之意態的婀娜。

如今呀，都已爲她爲她所有，
祇恨我沒有殺敵的戈矛。
江頭的波濤洶湧着，
啊！啊！無抵抗者的淚多！

〔11〕

（九）

倘使你是仁慈的太陽，
那有射來酷烈的光芒；
一眼看着被刺破的創傷，
　一眼看着自己斟來的——
這愁紅慘綠的苦酒一觴。

苦酒呀充不了饑腸，
　饑餓的靈魂呀，祇有徬徨。
凜冽寒風攪入了夜窗，
　看已斷的弦邊會奏彈出——
怎樣怎樣的宮商！

(一〇)

昨宵夢見在黃鶴樓頭，
江水依舊的那麼悠悠。
祇是我的身邊呀
永遠失却了他的溫柔。

他是去享異性的愛戀，
再不顧為我為我所有。
那裏來并州的翦刀，
翦去這濃愁，濃愁如酒?!

"江水呀，你儘這般的流去，
再莫有片刻的延留。
我的名譽與靈魂，
黏在水上，就任他去飄浮!"

〔13〕

(一二)

原不希望你被什麽愛人奪去，
事到如今，才知是萬不能夠．
這搖蕩的靈魂，你就死去了罷，
　在這黃昏人靜的時候！

再莫握手來話語深深，
　再莫駢立在黃鶴樓頭；
和我的青春一樣了，
　江水與來日悠悠！

〔14〕

（一二）

記得那回的林中，
再沒別人，剩下了你我；
軟風催起了葉在翩翩，
你是如何啊，向我懷裏來躱！

用蜜意對我來溫存，
用雙臂將我來懷裹。
記否，那時的春光未去，
山花不正鮮紅的朵朵？

〔15〕

（一三）

那又是紫藤的架下，
有我倆喁喁在對話。
總是難忘啊，你祇將她——
將她細細來描畫。

描畫成個翩翩的蛺蝶，
一朵着上刺的玫瑰花。
“玫瑰花呀！秋風能吹謝了你，
祝秋風吹你化做泥沙！”

秋風還是吹送個不住，
更將蕭瑟的秋神迎迓。
“你這蛺蝶還會翩翩吧，
去，衰草叢中去羽化！”

〔16〕

（一四）

你是朶有刺的薔薇，
刺傷刺傷過我的雙手；
倘使你不能愈了這傷痕，
她才不能做你的配偶。

也須將你來詛咒，
詛咒得無處可以避走，
××呀，你如能隔絕了婦人，
拚伴你百年的醇酒！

〔17〕

(一五)

微風吹起碧波間，
再記那囘罷
南湖的湖上。

是那裏來的簫聲？
　散落到了湖心，
隨着碧波搖蕩！

驀然念起了故鄉，
　脈脈的無語，
無端的悲愴。

你不還安慰我嗎：
　願永永的相伴，

〔18〕

哀樂兩都遺忘.

如今的南湖湖邊，
　留下的簫聲，
該依然無恙.

可祇惜你的話言，
　就不同這簫聲——
同這簫聲一樣!

〔19〕

(一六)

記起未一回的酒綠燈紅，
怕才有三月的離異.
秋雁帶不了書來，
秋風又不將消息傳遞.

我才永永不會猜忌起，
你會變幻得如此的容易；
自從他人向我諷示，
我還再三的說人弄戲.

漸漸消息逼了真，
你也不向我再作隱秘.
我心呀，泛乎如不繫之舟，
又將何處，何處去相寄?

〔20〕

在沙洲中築起座孤墳，
　心呀，且將你來槍斃。
我是槍斃了心了，
　殘餘着尸居餘氣。

你爲何認識了我，
　我由微笑而雪涕；
你爲何愛我又棄我，
　這才是個亙古的隱謎！

〔21〕

（一七）

流浪倦了，歸來呀故鄉，
故鄉，早不是我心上的輝煌；
在我心上的那個——
牠是有隻華采的鳳凰。

滿目都是荒涼荒涼，
不見了鳳凰的翺翔。
流浪罷，再流浪到那裏？
失却了帆舵的舟航！

辭別了武漢與瀟湘，
原就是我的荒唐。
毀滅了故鄉的眷懷，
毀滅了他的思量！

〔22〕

(一八)

那是賈誼被謫到的長沙，
那是自古卑濕的長沙.

灰淚的長空，
　緊貼着點點歸鴉.
——怎好使我且住爲佳?
　我才記念着他呵!
我才記念着他呵!

〔23〕

（一九）

悠悠載覆，
細細思量，
人之荼毒。

人之荼毒，
　我爲所欺，
我爲祝福。

〔24〕

（二○）

你是我孤航中的桅舵，
　驚濤駭浪中拋撇了我。

你是我昏迷中的明燈，
　雨絲風片中拋撇了我。

蒼蒼茫茫中立着我！
　蒼蒼茫茫中立着我！

(二一)

一日不見，
　如隔三秋，
三月不見，
　隔世的悠悠。

再求相見，休休！
　再求相戀，休休！
"我只合獨葬荒丘！"

（二二）

自己製成的酒盅，
　自己釀成的苦酒；
自己心靈來索取，
　自己的口頭，祇得說聲有有．

滿滿的斟在酒盅，
　畏苦的眉頭緊皺．
和着淚的滋味來咽下，
　啊啊！我這飄零的衰柳！

〔27〕

(二三)

水自來西，
水還去東，
這樣的人生，
這樣的匆匆——
血與淚的交流喲，
怎不灑向江楓!?

眼簾緊閉，
心房又扃.
何處可澆愁?
有三百巨觥.
蹲在頹廢之中喲，
聽蕭寺的晨鐘!

(二四)

我已是無家可住，
心兒飄流到何處？
誰都不曾了解我，
再向那裏去哀訴！

生生的迫入墳墓，
永永的罪惡來負。
原不該祈求蒼天，
祈求生人的甘露。

我之黃粱已醒寤，
我之青春又早誤；
向生命末途再進，
啊啊！艱難的寸步！

〔29〕

(二五)

我在聽着——
這兒江流的哽咽.

我在聽着——
這兒松濤的淒切.

我在看着——
還是舊時的明月.

我在看着——
我與他的溝水東西,
他與她的情親意熱!

(二六)

我已達到長吉的死年，
　也該向天上的玉樓來返。
對玉樓來膜拜膜拜，
　那裏該有懺悔的明燈一盞！

〔31〕

(二七)

你是有了她，
你已有了個甜蜜的家；
我是失了你，
只有走向渺茫的天涯。
天涯——天涯——
再沒走盡的征途，
征途上只有風沙！

(二八)

自從昨宵呀，
祇聽到風雨蕭騷.
楊花漫天都已飛盡了，
今朝啊今朝!

綰不轉春光的柔條，
柔條!凄咽了江濤，
便任他綠肥紅瘦罷，
這春光老去的週遭!

啊——
這春光老去的週遭!

〔33〕

(二九)

昨宵的夢中，
是久離未見的他！
今宵的夢中，
幾枝色香兩褪的枯花；
明宵呵，他呀——
可還是那朵枯花？

(三〇)

你啊，再莫贈我纏綿，
這已是古井的不波。
刺碎我綺夢的精靈，
上帝呀，他是罪過，罪過！

〔35〕

(三一)

你往常愛我吟哦，
吟哦着我的新詩.
別後的詩還不少，
祇惜作詩的主人，
却已成了個活屍.

沒你再聽我吟哦，
又需得什麼新詩，
火化火化了牠罷，
紙灰飛成些蝴蝶，
"我活屍你是死屍!"

(三二)

憑你罷，記掛我也好，
憑你罷，忘却我也好，
你總聽見的——
長空嘹唳着的秋雁，
彌天撒下了哀號！

〔37〕

（三三）

請你莫再來信罷，
來信能令我心痛。
我正掩護着過去，
　任過去變成了空洞。

再不去做惡夢了，
　又需得什麼綺夢？
我逝去的天堂啊，
　我跪在塵埃來將你供奉；

供奉你香花的滿甌，
　供奉你死之歌頌。
我是在寫着墓碑，
　我是在擊着喪鐘。

(三四)

你別問我心境如何，
我是墮入了泥犂，
歷刼莫能出的網羅．

有惱恨充實了飢餓，
我在一面去詛咒了她，
又一面將你來祝賀．

你就終不能隸屬於我：
她是軟意的香風，
你是有刺的薔薇一朵．

香風儘從花上經過，
誰能禁住她的留戀，

(39)

她自在花心來偃臥。

這許不算她的差錯，
　我却竭力詛咒了她，
"她啊！你就將我來棄唾！"

（三五）

誰還再能安慰我？
　我是隻寒蟲，
衰柳之下來閃躲。

嚴霜也太多！
　未來的風刀霜劍中，
何處是我的安樂之窩？

去呵！去呵！
　忘却了過去，
靜悄下記憶之波！

〔41〕

(三六)

心頭這樣的牢愁，
身世這樣的悠悠，
我欲毀滅這宇宙，
浮乘着天外孤舟！

（三七）

相見如何不見，
安居怎敵窮途？
祗許說葡萄酸苦，
我喲——
我是隻牆頭涎嘛的孤狐！

〔43〕

（三八）

便流出血來，也染不上已死的
桔花，
誰能像夜鶯一樣一樣的苦歌？
這沉重而且難堪的死石，
讓牠能，緊緊的壓在了心頭。

〔44〕

後　語

這幾十首詩是我幾年來為一個朋友寫的。他為了他的膩友與另一個她戀愛了後，幾乎是發了狂。但是他不能在“他，她”中間築起一道深溝，他惟有自傷是個失敗者，很淒涼的過着他含淚的生活。最近他的蹤跡都不明了，怕就在流浪中度過餘生，走入那永永黑暗，象徵悲哀的墳墓中了！

“他，她’是他的哀音，雖然大多是我代他寫的，但總算他這一生的小紀念，遺臭遺芳，也管不得許多，我就略加編排，將牠印了出來。

——××！歸來罷，異鄉不可以

〔1〕

久留，"他，她"造成你的創傷，你就
從此忘卻了"他，她"罷！××！……
……

為法誌十七，三，二。

後語之後

去年此時，正是春到人間，我勉強將"他，她"編訂好了，交南京一家書店去印行。其中亥豕魯魚，觸目皆是，對於二千多購買此書的讀者抱有無窮的歉意；然而自己既無力印行，也只有如此如此。今年此時，適值黃中兄索稿，乃將此小册子悉心訂正一次，又增添了兩首，合計有三十八首了，無論其犯罪與背時，且讓他着上新裝，再向這春的人間去走一遭，就交給黃中兄再版了。

為法又誌十八，二，二六.

〔3〕

嬰屍

廣州文學會 編

粵港受匡出版部（香港）一九二八年四月一日出版。
原書三十二開。

嬰屍

廣州文學會叢書

受匡出版部印行

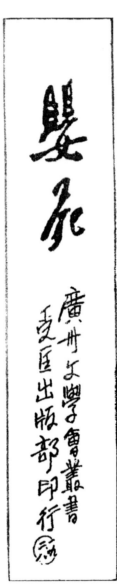

嬰屍序

我們這個小孩子死去的時候，距今約莫一年了．大約在一年半以前，僥幸生了這麼一個荏弱無力的小嬰，心中雖不能期望他將來對世界，對中國，對廣州，甚至對他的生身者及其親友有甚了不得的貢獻，令他們讚譽這是一個『英明之裔』，雖然我們又知道不聰明的父母不能生育敏濬的孩子，但是我們仍然十分高興，像一個强國的王侯忽然生了一匹『麒麟』一樣．

這可憐的小嬰，他的生命看來像有半年，而其實只得四個月罷了．在短短的十六週之中，這小嬰也遺下不少的啼痕同笑貌．他世故未深，他面容不老，他的笑裏有甚麼東西沒有，哭裏有甚麼原故沒有，我們做父母的，當時似乎有些明白，但不能說是真確知道．總之我們紀念他的一切，不在他的偉大同功用，只覺得他在我們的記憶裏，總是如此可愛的！永遠是甜甜的，甜甜的！

談起廣州文學週報，由第一期起到第十六期止，由創刊到停版的第一次，把

其間我們經過的事實同受過的氣聯絡起來，那眞是一個有趣的故事，不過我最怕寫過去的事情，一樁樁陳列起來眞是沒意味！總之，我有一些好朋友因此惱了我；平素一些尊重我的人看低了我；更有一兩位姑娘說我在譏諷她；有不少的人說我是想出鋒頭．——對於人們的詬罵，我有時是『甘受無詞』的，雖然有時也有例外．

我們的叢書自紅墳出版後，就聽說有人說是『性史』一類；同時也就有人說我們不能代表廣州文學界，因而廣州文學會的定名爲不通．我們處在寂寞無聊的廣州，能聆到這樣的妙論，自是不幸之幸的．

不過一次停版後，加入了紅暉社的份子，二次停版至第三次復版時，又加入革命文學社，文宮社，及以前時代文藝社的份子，這樣尚夠不上稱爲壟斷，稱爲譖越吧？我想．

現在我們的嬰屍又要在書坊中陳列了，掩鼻而過之，自然定不乏人；想花幾毛錢買一本的也不見得竟無其人吧？倘若有人以陳腐罵我們，我們又將如何呢？

羅西，十六年十二月十日

—2—

風雨深宵

馮慕韓

鐺鐺的鐘聲報過三點了，H還獨自坐在電光之下的一張長形的，上面鋪着碧綠絨布的桌傍的椅子上，儘望着窗外的一閃一閃的雪一般的電光，從電光的一閃的明亮中，可以看見向地下墮的纖纖的雨絲・朝北的窗的玻璃上淋漓地沾着的都是那受擊打後的殘留雨點，他的烱烱的眸子，像是要透視了窗外的一切，社會的一切，宇宙的一切一般似的・消沉的面容，露出一派凝思的模樣，他已想得痴呆了！

H自聽了他的朋友Y所說D的命運之不幸和可憐以後，不入睡鄉已兩整夜了・他對於她的不幸，自然是表有一百二十分的同情，但他因此更鈎引起無限的傷心和悵惘！他因爲想能夠給她一點慰藉和帮助，更把他的心兒陷入煩惱之淵去！

昨夜，前夜，他也曾扒上床去睡過，但總是不能入寐・只聽到時鐘的報告，

十二點、一點，兩點的聲響衝破了黑夜的沉寂，雖是這麼的更深人倦，但睡鄉的門司終究拒絕他，不許他走進去。那末，他只好離了床，捻亮了燈，寂寂地默默地呆想到天明！

他沒有入睡已過了兩夜了。今夜，雖已時漏盡更殘，雨厲風悽，但他畢竟是緣慳，不能跨過睡鄉之門去！

今天午間，他也曾去謁見D姑娘，但，他們既不是深厚之交，D又是個異性；女人是最易流淚的。要是遇了tear current時又怎辦呢？『無端提起又傷心，淚痕暗洒！』更令她難過了！他終竟沒有提及，只糊亂的談了一會，他便向她辭別了！

他回家後，煩惱的網更把他的心兒網得緊迫了！她的消沉而只帶一點強笑的面孔，她說話時的界帶些微點子悽怨的聲音，言語間帶着飛送出的『唉！……』的微吁的嘆息，在這幾點之中，他已洞悉了，她的心中是蘊藏着無限的憂鬱似的；

他更悟到了，她的徵吁的『哎！…………』的嘆息是想向他有所申訴的一種朕兆！

他想到見了tear current時的悽惶和悲痛；更想到因此她或許會哭個整夜，他的心中也起了恐怖了！不敢用半句言語來挑撥她，鈎引起她的傷心的痛事而瀉流着悲哀之淚！

——不幸的命運，不幸的命運！啊，命運呵…………！怎麼偏偏加上這麼弱質的一個少女的身上來呢！啊！命運，不幸的命運喲！你加到我的身上吧！我願負擔了一切，不幸的一切！這麼的一個少女的心兒怎當得起你的強暴的蹂躪喲！

他的心兒被煩惱所困厭過了他所能抵受之度時，他嗚咽地發出悽哽的悲哀的呼聲！已停了奔流十多年的淚泉，而今又重復奔流起來了！

——哥哥！還不睡？夜深了，大風大雨！不要着了涼，要當心你的精神才好！……哦！哥哥：怎麼你哭了？妹妹哭鬧時你不是駡她淘氣，不許她

哭嗎？怎麼你是個長大的了，也哭呢？

他的弟弟S這樣問他．S是在夢中給他的悽異的哭聲驚醒了！

——你好好的睡吧！S弟！

——是，哥哥，你也睡吧！不要再哭了、你要是再哭，明天我一定告訴給Y先生，C姑娘，A姑娘，還有Y姑娘他們知，讓他們來向你取笑呢！

——是，他們取笑……你還是睡你的吧！

S像已入睡了．他的夢囈一般的話兒也寂了．

H還至在流着淚，嗚嗚咽咽地哭；他的心兒爲了她而拚裂了，劃上幾線的創痕．哭了好一會，悽異的哭聲也漸漸地死寂下去了！只賸有虎虎的風號，和滴滴的雨打的音響，他離了坐位，默默地站了一忽兒．便走到衣架傍取下一頂膠帽戴上，沒加鞋套，一手扯了雨衣下來，披在身上，悄悄地便獨自開門出外去了．

黑默默的馬路上，行人已絕跡了！這般風狂雨暴的寒冷的深夜，人人都已在

床上蓋着氈子尋覓着他們的好夢去了．只有他，在這燈光昏闇，寂寞得像死了一般的馬路上，冒着風雨的打擊，縮着頭在衣領間，兩手插在衣袋裡，高而瘦削的身體緊緊地給雨衣裹着，一直向南方走去．

在大雨滂沱之中，一派的珠江，潮水也漲高了，受了風力的拖攝，一陣一陣的波濤鼓湧到岸來的擊撞的激烈的回音衝破了寂寞的一切．江之北的一條柳岸，發出陣陣的慘悽而悲涼的雜亂的嗤笑！日間和黃昏後的長堤的繁華的喧嘩的人語聲，汽車的令人振聵的警號聲，東洋車夫搖着的釘釘，釘釘的小鈴聲，貨車的鐵輪與路面相摩擦聲，挑着東西的苦力的叫讓路聲，小販的叫賣聲，行路的步履雜沓聲，一切聲音都已沉入寂寞之鄉去！一切車夫和苦力都不見踪跡了！行人也沒有了！一切店舖都關了門！

H仍是緊包着身體在雨衣裡，激射的雨點，永無間歇地向着他襲擊，凜凜的狂風，常常飄捩開他的衣角，他並不理會，先前的步行的速度也低減下來了，只

沿着江邊徜徉，很適意地順受着狂風暴雨的欺弄！

他走到一處比別的較爲寬大的碼頭，就在那兒他住了一足，不向前去了，惘惘然地悵視着波濤的洶湧，呆聽着水流的琤琮，和岸旁發出的洪大的撞擊的音響·只默默地在發愁痴立着不動！

——啊！你這可詛咒的命運，你這可詛咒的不幸的命運喲！怎你偏偏的停留在她的身上，困壓她，欺弄她，蹂躪她，使她顛沛而致消沉，而使她日即於塗炭呢？

他的悽異的哭聲，挾着風雨的激戰聲飛迸出來了！江水在奔流，他的淚兒也在奔流；波濤在洶湧，淚潮也在洶湧着了！

——啊，D姑娘，可憫可憐的D姑娘呵！

你曾曉得：

夜深人寂之後，

風悽雨厲之中；
有個人兒站立在江頭，
望着滔滔的江水洶湧，
正爲你而悲愁，
正爲你而傾瀉着淚流？
此恨是這般的悠悠，
心兒是這般的悲愁，
淚兒是這般的傾流，
啊……………！
此番的狂恨呵！
幾時才罷休？
他的悽異的哭聲更悲凉了！更悽楚了！合着狂風怪吼，波濤的怒號渾成一片

他的身軀也震顫了；淚珠兒流下江去，與江水一並向着西流！

——唉！姑娘呵！我們的相逢，啊！…………怎這麼的遲，怎這麼的晚呢？雖然才是初交，對於你的所遇的不幸，我表示無限的同情；感受到無限的悲哀！我憐憫着你，也是自憐憫呢！可憐俱是一般可憫喲！

雨衣飄揚在空間，他執着一方手帕，掩着臉兒儘在悲泣，儘在哀叫！

——恨只恨是初交，啊！姑娘，D姑娘呵，我有無限的悲愁，我有無限的話兒隱藏在心頭，啊！恨只恨是初交，不能盡量地把所有的一切話兒向你訴說，使你知道我們同是這般的不幸、同是這般的可憐！啊！姑娘，D姑娘呵！你所認識的我，瞇瞇地朦朦地留在你的心中的依稀地恍惚地若有無地一個輕淡的影子的我，平平地淡淡地輕輕地漠漠地並無些微點子特別留意的一個『H君』而已！可是我心中的哀愁之泉呵，已經揭開了！哀愁的波潮呵，已變了鼎沸而奔流了！啊！哀愁之奔流呀，何時才止歇？

他哭得更厲了！恍如深山黃昏時聽到的獵角的鳴聲，也像是塞外夜午中騰空飛迸着的胡笳的音響一般的悲切！

——哦！你這滔滔的滾滾的波濤呀，你這般的匆匆的奔走着，難道正是忙着在建築我的新墳？

他的哭得紅腫了的眼珠，向着江之西悵然遙望．遽然間一道雪般亮的電光，掠過他的身軀，燭照着水面，一直掠西而逝了．隨後就是一聲轟天震地的怒雷，把他嚇了一跳．雷過之後，激雨也慢慢地和緩下來了，風兒也靜寧了一點．H的內心也起躊躇了：『不，不，我怎也不能這般的就去自殺吧！可憐我還有五十多歲的爸爸，客身遠方的哥哥，未成年的S弟，和幼少的芝妹呢！啊！我怎能離了他們，永遠永遠永遠的離了他們，獨自投身到珠江之中去？』想到這兒他禁不住又哭將起來了！

——唉…………！我的爹爸，我的爸爸啊！可憐喲！年紀是這麼的衰老，

—11—

啊，家景呵，又是這麼的貧寒！你一心一志在祝望着我，都是想我能夠賺一點錢兒，來救我們的窮困；如今我若是死了，豈不白花了你教養我的一番心血，給你一個失望的報償，在我的手上用一個悲愁之網來把你網上麼？哦！我不死呵，又是這麼的悵惘！又是這麼的悽惶！啊！姑娘呵！D姑娘啊！我們雖是初交，你能否向我…………

他離了碼頭，踏上馬路去，在闇淡的燈光的昏黃中，冉冉地隱去他的身軀了！曚朧地還聽見他的低微的沉吟的語聲：

——只好委身於定命，一任漂流吧！

一九二六，六，四，夜半

微音

馮慕韓

「鏡中的一朵嬌艷的名花，
輕輕地輕輕地便在我的目前消逝了！」

姑娘：

許久許久沒有會面的姑娘，我的許久許久沒有會面過的姑娘，請恕我喲！經了這麼久的時間，都沒有給你寫信，寫來給你候安的信！你的七月二日和八月一日寄來的信，我都細細地細細細地讀過了，哦，姑娘，可愛的姑娘，溫柔的姑娘，活潑的姑娘，美麗的姑娘呵！讀着你的來信的當兒，我不知滴下了多少眼淚！！唉，姑娘，你的信，怎這般的悱惻，怎這般的纏綿喲？你對於我，表示着這般真摯的純愛，我眞是感謝你，感謝你，深深的深深的感謝！哦，姑娘，我怎能不哭而至於涕淚縱橫呢！

唉，眞是，眞是，眞可是不堪回想喲！兩度春秋之前，我們不是很融樂地相聚着在研究學問的嗎？那時，啊！那時是怎樣快樂的！如今，呀…………！以前的生活，好如昨夜的甜蜜的夢兒一般，在雜亂的晨鷄高唱的音響中驚破了，驚破了，驚破了喲！永莫有留下些兒的遺踪殘影！

哦！姑娘！感謝你，感謝你，我眞是感謝你喲！我本不過是個無遮宿之糧的窮人，一個寠人之子罷了！蒙承不棄，假以青睞；哦，我是怎樣的足以自驕！哦，我是怎樣的足以自豪喲！這麼的一個襤褸的窮人，竟能浴在這般溫暖的日光裡！哦，姑娘！我祇能感謝你的這麼眞摯的純愛；可是啊！我却不能接受你的這麼眞摯的純愛呢！那末，難道我不愛你嗎？不，不，不喲！我愛你，我愛你，自然，我怎能禁制得不愛呢？而今，我祇能記念着你，永遠永遠永遠的記念着你，記念着你的豐柔的蘭姿，記念着你的金黃的美髮，記念着你的可愛的伶俐的晶黑的眸子，記念着你的曾經給我吻過的有曲線美的紅唇，記念着你的常常和我相握着

的纖纖的玉手，記念着，……記念着你的所有的一切以至沒世不忘！我却不能愛你了喲！

姑娘，你也明白吧？隱隱地已成了一種公例了！結婚就是愛．同時，愛的結晶點就是結婚．

結婚？結婚？哦！它之於我恰如是幻影，或許是夢景般的一回事罷了！就不論誰人都要回答說個「是」字的，沒有金錢而在計劃着結婚是不行的喲！我早早已回答了一個「是」字了！唉！姑娘，可愛的姑娘呵！你也回答吧！你也回答我說個「是」字吧！

自從年前暑假，爲經濟所逼，便拋棄了學生生活，闖入社會裡去混飯吃．唉！試想想吧！以我這樣的，這樣的甯願順受着飢寒侵逼，而不願強承色笑的去拍馬屁討飯吃；也沒有乞巧的學問，怎能得到一個優越的職位，而多得三二十塊錢呢？所以瞎混了一年多祗能供給自己一天兩餐的飽飯．可是呵！我的祇受過一點

慘澹的教育的姊姊，現還在學校時代的弟弟們和年老的爸爸，我都不能供給他們些微點子的生活費用，哦！我親愛的，親愛的，親愛的姑娘啊！一個無產的只能一天混得兩餐飯吃的窮人，怎敢妄生結婚的想望呢？姑娘呀，請你把我忘記了吧，請你把我當作一個在陌生路上偶然地相遇的一個人吧！現在，在你心目中的我的影像，請你悄悄地輕輕地把他塗抹掉吧！塗抹掉吧！請你永遠永遠永遠的不要留下一個依稀的我的殘影吧！我昔日的夢想着的愛的結晶的結婚，已變成浪花和泡影一般的消逝去了去了！想今生不論怎的也不能成就我們的結婚的想望了！窮措大的我，沒出息的我，唉！夫復何言！現在我已決定了！我已經決定了！誓終鰥此生，以圖報你的這般真摯的純愛。唉，姑娘！請你另覓愛侶吧，想我此生不能爲汝伴了！哦！此生不能爲汝伴！難道在祝望着締良緣於來生嗎？唉！此生已不諧，更何望於來生呢？我親愛親愛的姑娘啊！請你另覓愛侶吧！李君和潘君不是狠好狠有學問的一個你的友人嗎？唉！請自家去選擇吧！我，我並不是絕你；

—16—

實在是呵！我不願犧牲了你的一生的幸福，來跟着我這麼的一個無學問的衣服不備的無出息的窮人，來過着這常常要受着飢寒侵逼的悲苦的生活呢！呀！姑娘呵！去吧！去吧！離我而去吧！請你再不要繫念着我了！但，我常常都跪下，虔誠地跪下遙向着天空祝禱，祝你平安無恙，幸福無量，而我，這麼的一個畸人，從此或許是永遠的離開此地，在外面漂流。不論漂流到那一處的都城，那一處都是我這麼的一個畸人的故鄉！他年，數十年之後，我或許還能夠呼吸着故鄉——眞正的的故鄉的空氣！也或許是白骨歸來了呢！

秋月縱自傾瀉着她的雪亮的銀光，
春花縱自吐放着牠的迷醉的芬芳，
可是我的心兒呵，
只深深地深深地向着茫茫的愁海埋葬！

唉！別了，別了，別了喲！我親愛的姑娘！在異鄉漂泊的一個畸人，常常都

虔心的祝禱，祝你平安無恙！祝你幸福無量！

不幸的慕韓上，一五，八，廿九日夜半

上海的來信

卓 如

徐君近來不再努力於打倒帝國主義了．他年來的精神大部份是用於開會，演講，報告，宣傳等等的事情，因爲他總算有點聰明，成績還好，在校裏的第一名從未讓過他人．去年因爲上海的慘殺案發生，他又代表學界往N地做宣傳的工作去了．

『我們中國在雙重壓迫之下，非打倒帝國主義無從挽救，我們這一次來N地的目的就是負着這個重要的使命———打倒帝國主義的使命！』他用N地的話在主席壇上報告慘案的經過和代表團的使命的時候，壇下的聽衆大家都靜默着．到N地不滿一個星期的他，說起N地的話居然清楚流利，這是認識他的人一致佩服他的地方，也是他常常自誇的手屈一指的本領．他的聲浪越說越高了，說到他目擊慘殺情形的時候；他那黃白的臉上頓呈一種極爲嚴肅的氣象，全場的空氣也立卽

緊張起來，除了徐君悲壯的聲音哭一般的繼續着之外，其餘的人都雙眉緊鎖，伸高頭，在靜聽他的報告．他有時以手作勢申述碧眼兒的兇狠，有時以脚作勢形容可憐的同胞逃命的慘狀，好像說故事的人說到最沉痛的一段之使人動容，使人動憤．

三聲「打倒帝國主義」的口號喊完，會散了，人走盡了，深深的印在朱女士腦海中的只有那站在主席壇上的西裝美少年的翩翩影子．

徐君那天穿的是湖色嗶機西服，金紅色的領花襯着；足踏的是最時髦的深黃色的皮鞋，小小的紅緣繡邊的手帕在衣袋裏微露一角．單就他那白滑的面龐，長短合度的身軀，靈動的眼睛，流利的言語，大學將畢業的資格，常當代表的才幹，已經夠令和他接近的女性垂涎了，又加上這一身的時髦服裝，又何怪散會後的女性一個一個的把眼珠不轉地釘住他呢？朱女士就是其中許多女性中之一，而且是釘得最緊而又最久的一個．

『還看甚麼？我們走吧！後面的人逼着擠來呢！』同行的李女士見她不住的回頭凝望，祇聲的這樣推了她一推．她不好意思地又只得舉步向前移動了，屢次要望一望，但她疑心李女士那句『還看甚麼』似乎已經覷出她的心事，又忸怩着不敢．

『她明明也有意思，你看她鼓掌時的高興就知道．』想了一想之後的朱女士斷定李女士也看中了徐君．

『還看甚麼？』朱女士用迅雷不及掩耳的手段捉了李女士的臂一下，大聲的問．李女士不留意她這一回頭，可把她的秘密的心情看破了，赧紅着臉，微微一笑．擠出了禮堂之後，地方寬了許多，行人也分得疏疏，不像先前的擠在一堆．她倆聯臂走着，一聲不响，各人在作各人的非非想．

『時候還早，我們往市場玩玩再回去吧，』是李女士的提議．

『你又想看密斯脫了！是不是？』朱女士說着，她自己也聳肩笑了．

『你說你自己吧！看密斯脫何必到市塲去？在這裏就沒有麼？』李女士解釋她的提議．

『你要請我吃西菜！』朱女士要難她．

『容易得狠！』李女士說：『你甚麼都喜歡西式的，是不是？不怪得剛纔不住的回頭了！』她說時眼珠溜了朱女士一下，嗤的笑了．

『你自己懷着鬼胎偏偏要罵人，我不知道是那個在演說的時候將手掌拍通得紅？是那個目光烱烱的微笑望着臺上？』帶着妬意的朱女士用半滑稽半質問的口吻滔滔地辯駁了．

『老實說吧，你是不是喜歡他？』李女士的話．『老實說吧，你是不是愛上了他？』朱女士的話．互含着醋味的她們倆．這樣繼續着直走到市塲還未停止．

朱女士和徐君已經由普通的友誼關係進爲戀愛之侶了．他們倆的第一次接談

—22—

由於友人張君的介紹，她知道他叫徐仲怡，在法科大學快要畢業了。他知道她叫朱瑞蘭，C女校的三年級生，是他的同鄉。

『徐先生演說的天才和素養眞叫人佩服。』講完幾句客氣話之後，朱女士這樣贊他。

『密斯朱不要笑話，你怎麽知道我有演說的天才和素養呢？』

『在北大的第三院曾領教過一次。』

『慚愧！那不能夠算是演說吧。』徐君雖然口裏這麽說，但心裏的得意終禁壓不住露上來了。

『何自謙乃爾呢！』又是她讚他的話。

自這一次的會談以後，他們倆常常相見，常是她到同花公寓找他。北海公園，中央公園常有他們倆的足跡了。

夕陽已躲向西山去，只剩一片餘暉照透了太液池邊的夾道垂楊。游人一雙一

雙的熙來攘往，仲怡和瑞蘭也翩翩然的惠臨了。仲怡穿的是金黃色的西服，臂搭一件最時髦的黃色秋絨外套，革革的皮鞋走起來覺得特別精神。他本來是有些女性美的，這個裝束使他的女性美現出一點雄糾糾的氣概，越發好看了。他們倆有時並肩而行，有時仲怡先行幾步，她跟在後頭。她把行人打量了一翻，她的驕傲不能壓止地湧上眉尖了。

『仲怡的漂亮的確是出類拔萃不易得的。』她心裏有了一個定案。『不會太不配的吧？』她心裏暗暗的自問，低下頭去望了一望她自己桃色的旗袍，漆光炯爍的高跟皮鞋。

『我們到五龍亭坐一會吧！』仲怡說着將手向西一指。

『好——』她只這樣答應出一個字。

日落後的中秋天氣，是冷氣侵人不可當的，他們只坐一會就走了。

『坐船還是走路？』他徵求她的意見。

—24—

『你不便隨她吧！』發表主張．

『我們還是走路好，看看夜景，散散步，也可談談．』

他們倆又由原路走回來．

『我們在這裏坐坐吧，你看這幅天然的圖畫多麼美！』仲怡的提議．

『你不只是一個政治家，而且是一個文學家了！』她說完就坐在他的旁邊．

『不敢當！不敢當！』他又用這一套老調．

太陽沒了很久，疏疏的星一顆一顆的出現，游人也逐漸減少了．五龍亭的燈火仍是珠圍錦簇的照下水去，狀元橋的車馬聲若隱若現的傳來．微風吹縐了一池秋水，水底的燈影跟着水面的波紋蕩漾．支支的虫聲在奏着它們的秋之曲，和着古木的迎風嘩嘩的秋之歌．

『這個夜是多麼好！』她也感到大自然的美了．

『我看還比不上你．．．．』他的身歪向她那邊去了．他的左肩觸着她隆起的胸部

，他的心突突的亂跳，眼睛一陣模糊，甚麼夜景他都目空一切了。

『我有甚麼好呢？』她似乎還鎮靜，但聲調已經很緊促而且有些顫動了。她說着，她的玉手已放在他的右肩上。他乘勢將頭一歪，嘴唇正對着她那緋紅的秀頰，將玉手一抱，她整個的臥在他的懷裏了。

仲怡緊緊的抱着她的纖腰，俯着頭深吻她的綠髮，她右手挽着仲怡，頭斜睡在他的胸膛。這樣偎倚着約有三分鐘。

『我們走吧！』她跳了出來，向四面驚視了一下，這樣叫仲怡。

『不要緊，那是風聲，沒有人來。』仲怡知道她的驚懼。

經過這一次痛快的肉的接觸之後，他們的隔閡已經去盡，爽爽快快地挽着臂回去了。

仲怡近來老不在家，張君找他開會總是不遇，打倒帝國主義的工作漸漸放棄

了．朱女士幾次打電話給他，號房囘的總是「不在家」．她知道有些不妙了，因爲李女士的神色也有些特別，而且常常一個人盛裝出去，問她找誰，她儘管隨便撒謊，說是囘家裏拿東西或到北大找她的哥哥．

「他們一定有些曖昧了！」她悔恨當日不應該給他們介紹，累到今日反客爲主的地位，很冒失的嘆了一口氣．

她失戀了，打電話他不接，寄信他也不囘答了．精神肉體都給他蹂躪過的瑞蘭，遭此打擊，只有暗中啜泣，同學見她一連十多天未出校門一步，十分驚異．有的笑說她戀愛成功已經訂婚了，不必再出去應酬交際．有的說她失戀了，她們並且指出她近日的態度爲証．但同學們究竟不敢斷定而且不能証明究竟她和他是已經証婚抑或是破裂．知道最詳細的一定是李女士，但李女士和仲怡的關係就連朱女士也不十分明白，只是根據她的神色態度揣測，揣測的對不對還要等待事實的証明．

『今天又上那兒去？找你的哥哥？』她的妬氣終于吐出來了．

『你去嗎？……』李女士的笑聲好像有一點勉强．

『不阻碍着你們的好事！……』

『什麼話？好事？…………』

李女士好像要哭出來的樣子．她悄然的離開寢室了，剛到門口她回頭望着瑞蘭一笑．

『你還要向我表示得意麽？沒良心的東西！難保你將來不會蹈我的覆轍哩！』

她恨李女士比恨徐君的程度還要高些．

李女士不回C女校已經一星期有多了，同學們很担心，朱女士尤爲痛恨．星期日的黃昏，她接到她由上海寄來一封這樣的信——

蘭姊：

我的東西還完全擱在校裏，我的身已經五天不回C校了，你們覺得驚異麼？數年老同學，我的筆迹你還認得吧．你見信封上寫着「上海李棫」的字樣，你能不大吃一驚麼？我現在已經安抵上海了．我離校門立刻就趕往車站趁特別快車，即日到天津，即日落開往上海的船，現在船抵上海已經五個鐘頭了．蘭姊，你會笑我走得太匆速麼？我很恨船行得太慢，我只想離開N地，我離它越遠我的憎恨就減少一分，我心裏的難堪也去了一分．

我離開——憤憤的，秘密的離開N地的原因你知道麼？「和你某潛逃吧？度蜜月吧？」你會這樣的推測．但是，但是你錯了，你完全錯了！我可以告訴你，我這一次是孑然一身來上海的．那究竟是什麼緣故呢？我本來不想告訴你，因爲一則你讀起來傷心，二則我寫起來也忍不住汪汪的淚珠．蘭姊，你細心看一看這幾行吧，我的淚痕斑駁，我相信你讀這信時還不會褪盡哩！說出來既然大家難受，不說我又未免太對你不起，還是忍淚寫一個大概吧．

「老實說吧，你是不是愛他？」你不是曾經這樣問過我麼？那是我們在北大第三院開完會往市塲散步的途中一段故事．蘭姊喲，我雖未答覆你，但我的心裏明明在說：「我愛他！」我不是也用同樣的口吻問過你麼？你心裏的答案自然是和我一樣，那是你知我也知的．我們未免太孟浪了，雖然性的要求是二十歲以上的女學生（例如我和你）所不能免的，但只將外表一望就爲之傾倒，得到現在這個結果，誰說不是我們的自取？你怎樣認識他我不知道，我對他的認識是由于你的介紹．「這位是徐先生，這位是密斯李．」蘭姊喲！你在悔恨給我介紹麼？我也怨你不應該給我製造一段這樣的痛史！「廣東人漂亮一點，錢多一點，但未免太滑頭了．」這是你歸納我們的觀察的結論．蘭姊喲，我們大家都上了『滑頭』的當了！

你一定會這樣想，我和他的關係是從你打電話給他他不接，寄信給他他不覆的時候開始．但是，但是你錯了！你完全錯了，我敢告訴你，我和他的關係是在你和他——不，是你對他——最親熱的時候開始的，但她和他的關係又焉知不是

我們和他——不，是我們對他——最親熱的時候開始的呢？

前月一個星期的早晨，你打電話給他，囘說不在家了，我暗中好笑，你還好像墮在五里霧中·但是，蘭姊，又怎知道墮在五里霧中的不只你一個，還有一個在暗中好笑的我呢？「我勝利了！」我心中暗暗的歡喜·我知道他不是鐘鳴九响以後是不起的，那有七點半就不在家的道理？我騙你說是往校園散步，我悄悄的僱車到同花公寓了·我打算嚇他一下，我悄悄的走進去，房門果然不出我所料的沒有下鎖，只虛掩着·我把耳朵貼近房門一聽，我知道他是在飲牛乳了·我出其不意的把房門一推，唉呀，蘭姊，你說我見到的是甚麼呢？她坐在他的懷裏，只穿着寢衣，他的手拏着牛乳杯送到她的唇邊，喝着的不是他，是她呢！首先看見我的是她，她，推開他的手紅着臉跕了起來，牛乳撲的倒了一大半·他也看着我了·蘭姊，你說他的態度怎樣呢？他的臉也微紅一紅隨卽雙眉倒豎的怒視着我，我走了，我給他的怒氣推走了！

我離同花公寓之後，心房撲跳得太厲害，耳根的紅赤還未全消，我不敢就回學校，恐怕給你發覺了。我一個人孤獨獨的僱車到公園散步（說是散步眞冤枉，不知散的是什麼呢！）有幾個類似學生的東西緊追着我、大概疑心我是什麼『野鷄』吧，又怎知道我是一個剛着了一箭的不知愁的小雀兒呢？

蘭姊喲，我近來的神色是怎樣的奇異，你試一回憶就知道，我從那一天起的心境是怎樣，我這七寸頽筆不能描寫萬一了。

我是一個精神肉體都負了罪的不中用的東西了，——我希望你未達到這種程度——這是我更決意離開N地的最重要的原因。我現在暫時寄寓在二姊家，我打算在這裏謀一個教席，倘若環境尙不允許我時，我只好將我的生活謀一個總結束！

往事如烟，不堪回首了，蘭姊，保重吧！

末了、我還得告訴你一句話：她是C女士，是他的同鄉，也是你的同鄉，是

—32—

我們的熟人·

你的同學李·

—34—

鴈迹

粹文

親愛的：

當我離開你時，山外的斜陽，漸漸地墜下水平線；我的心靈，也像將落的太陽，一步步地走向黑暗裡去！

親愛的！我實在對你說吧！世界未消滅之前，或者我還有一口氣存在的時候，我眞不願意一時一刻的離開你！神秘的人生，像電光一瞥的人生，除了和愛人擁抱之外，簡直沒有意義了！我感謝你，感謝你給我枯寂的性靈一個無上的安慰•我願意在你的懷抱中，閉了眼睛，像夜色昏迷的沉下去，一直到了沒有知覺的時候•我愛的，飄忽的靑春，很容易便離我而逝了，與其和普通無意識的人們，一樣的在無聊的社會裡鬼混，結果還不免腐化在荒煙蔓草的中間，何不趁着一點氣存在時，盡情地，澈底地做一個愛神忠實的奴隸，在茫茫無際的愛河消沉下去

？可是，可是，我不忍再往下說了！

可怖的前途，可怕的前途喲！

對着碧綠色的天空，月兒像怕羞地不肯出來，祇有幾顆閃爍爍的疎星，點綴着空闊的天空；幾株不識什麼名字的濃樹，被徐徐的秋風吹着，靜悄悄的坐在樹下——祇一個人坐在樹下，陪伴着的祇有草地下在哀鳴着的秋蟲，這是何等的荒涼，何等的枯寂呵！在這當兒，我所想的，祇有我心靈中再也消滅不去的愛人，不是別人，就是可愛的你喲！我想着你，一直由見面時想到現在，這也値得說是回憶吧！啊！回憶從前，更緊念着將來，可怖的將來，怎能不想，又怎能想下去呢？

我愛的！恕我癲狂，恕我把「將來」兩個字，牽動着你那純潔的心靈，恕我吧！祇是，你給我心靈的安慰，我却回敬了一個煩惱，我自己也不能恕我，可愛的！你恨我吧！

明天是星期一．哦，哦，纔是星期一啊！一，二，三，……數下去，還有一百四十四小時，纔是下一個星期日，纔是我們再見的日子．很長很長的時光，如何過去？可愛的，保重着罷！

你的愛人．

我最親愛的人兒：

前天給你的信，收到了麼？連日劇煩的工作，腦筋已經紛亂的我，越發覺得沒有絲毫的條理了．可是，親愛的，你不用担心，担心着我不禁得煩勞，你知道我在從前比現在十倍麻煩的工作，也可以支持過去；然而，我眞莫明其妙，最難了解的，就是從前可以一天辦妥的事，現在却三天還不能清理；從前覺得很有趣味的工作，現在也嫌它太討厭了，究竟爲着什麼？也許是神秘而又神秘的吧！

我雖然天天不得空，又是牽掣着我的祇有肉體上的勞動，我的心靈，却依然

是時時刻刻祇有一樁事掛念着，掛念着你這幾天的生活，掛念着你會不會因爲離別了我而感覺到無聊·哦，我所掛念的祇有你啊！你的起居怎樣？你胖了些還是更加瘦了？你還是像從前讀書一直讀到三四更麼？你的精神不嘗得疲倦了麼？

拉拉雜雜的，無條無理的問題，一一湧上心頭，我腦海中的你喲，無時無刻不在我意想中深深接吻的你喲！除了你以外，簡直沒有能令我縈懷的事了，你呢？也許表同情吧！

可愛的姑娘！我不爲着你，……唉，我說錯了！我願犧牲我的一切，祇求我愛的安適，縱然到了化一陣輕煙，或許到了靈魂肉體完全消滅的時候，祇有你保持着你青春的美，和天然的可愛的苗兒，我便安安貼貼的消滅去了！我愛的！請你好好的保養着！

你的愛人

野花

廣州文學會叢書

受匡出版部印行

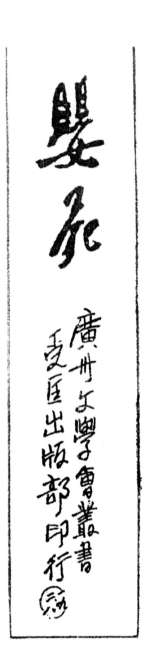

昨天我把夢境約畧地告訴你，我很懊悔，我實在不應該把這樣的消息，擾亂你的心靈．可是，我雖然這樣想，却很願意你有同樣的夢兒．醒後思量，自然令人難過．但是，片時的夢中，是何等的愉快啊！我們都知道：無論醒時夢時，總是過了快樂的時間，跟着便是苦惱，最少還是苦樂相等的．那末，請你不要掛心，今夜我還準備着早些兒睡，來重溫舊夢呢．

我愛的！天地間的事情，多半是和理想相反的，尤其是快樂的事．可惱的心情，總不能令我安安靜靜的睡下去．在寂寞的房裡頭，睡在無聊的牀上，伴着我的衹有光明的電燈，擁抱着被兒衹慢慢回想着昨夜的夢境：更想着可愛的你，此刻還是坐在燈下讀書，或托着腮兒漫想？或許在習算題，或許是調顏色，寫洋畫？我知道牽掣着你的功課，不過一部分的勞動，你的腦海中，也許有一條深深的痕跡，不能磨滅的．哦哦，你此時或許也疲勞想睡了，我想到你臨睡之前，脫了外面的衣裳，微微凸起的雙峰，雪一般的肌肉，這時正被溫柔的錦被擁抱着．哦

哦，眞令我難堪，眞令我妒殺，妒殺那夜夜和你溫存的錦被呵！

亂七八糟的祇顧呆想，叫我如何能睡？然而，不能不睡了，床頭的安睡藥，還不能不吃一包罷！唉！如果不爲着我的身子是你所愛的呵，我便通夜不睡，又有什麽要緊？我愛的！請你體貼我，——也許憐惜我，我保重你所愛的身子，請你也保重我所愛的身子哩！

你的S

親愛的：

咦！望望案頭的月份牌，眞是使我萬分的歡喜呵！明天星期六，後天便是星期了，又是我們見面的日子了！你想想，當由一百四十四小時，減到三十六小時的時候，是何等的快樂啊！

我準備後天一早，買了些鮮菓——荔枝，帶到你家裡，由你的纖手剝開放在

我的口中，更由我的口中度到你的口中去，這眞加倍的甜蜜呵！好了！明早晚點起，明晚早點睡！

你的戀人

我最親愛的：

早上起來，頭目眩暈，今天可不能工作了。但是，請你不用担心，我還能夠寫信給你，可見我的精神還不至於怎樣的衰弱了。

昨天你對我說的話，自然，這就是我們的前途！妹妹！可愛的妹妹！我的心你是知道的，論我的境遇，固然是世界上的不幸者；然而，我的堅固的主張，還不會完全受環境支配的，至少也能夠發生微弱的反抗。祇是你呢？茫茫的前途啊！

你的苦處，我也許完全知道，在這個無聊社會的中間，除了神聖的純粹的愛

情以外，恐怕沒有別的可以給我們些微的安慰！妹妹！我有了你，我的心還不至於完全失望，無論身受怎麼樣的痛苦，我因爲我的心坎上底愛人，什麼都覺得舒服，你能不能和我表同情？

剛纔王先生到我房裡看我，說我很不應該在廣州逗留着．他勸我到香港去，謀前途的發展．他本來是愛我的一片熱誠，我應該對他表無限的感愧．但是，離開這裡嗎？，我的愛人喲！我怎能離開你？離開你，我實在不願意在這無聊的社會活着！

無意識的躺在床上，心潮也抑遏不住．妹妹！昨天我那種狂態，實在再不能在腦海裡留着痕迹，你不忍拒絕我而又不能不拒絕我的苦心，我是很能爲你設想的，你不要埋怨自己太薄情，你不要怕我不諒解，其實，你那萬分體貼我的甜蜜的情意，我是永久不敢相忘，也斷不忍有絲毫反對你的表示，請你安心，安心着在靈魂的愛！

妹妹，現在不是我們五年前見面相識的時候了嗎？半年來依傍着你的生涯，眞是不堪回首！怪熱的初秋，你那時穿着薄薄的羅衫，底下粉紅的襯衣，天眞爛漫的態度，安祺兒般的臉龐，別後的縈懷，祇有你能够占了我四年來三分之二的時光。可是，同此地點，我們又見面了，你的態度未改，顏色依然，細心熨貼的濃情，更是有加無已；我每一想及我四年來的顛沛流離，更一對鏡兒望着我的風塵憔悴，我眞是無地自容了。

「人情蜀道，世事秋雲。」也許不能事事認眞，更進一步，怕還要委曲求全呢！你不要笑我，說這些頹喪的話，你應當時常爲我們的環境設想，家庭和社會，是不能不虛與委蛇的，否則我們的前途，或者我們的憂慮終有實現的一日，與其到頭來無可應付，何不早爲之計？我愛的，請你聽我一句話吧！

你的愛人。

妹妹：

你勸我擺脫一切，向前奮鬥，我謹以十二萬分的誠意接受！可是，親愛的，我想向前奮鬥，或者不能不離開你，你教我如何捨得？妹妹！爲愛情而犧牲一切，或許有人說沒有價值，然而，人生的幸福在那裏？除了愛情之外，還有什麼值得我們犧牲的？你知道我並不是不知道我們可愛的祖國，已經萬分危急了，並不是不知道我們是爲着自身的解放，不能不向前奮鬥的。然而，神秘的愛神喲！她每每告訴我，愛情比一切都要重大些，事實上，奮鬥麼，也非一個人的努力所能有效，那末，還是談我們的戀愛去罷！

晚上仔細思想：令我們不寒而慄的萬惡社會，實在比十八層地獄，還要慘酷。我們如果不受這種冷酷無味的社會底監視，我們的前途，還有什麼担心？然則推倒舊式社會，我們的目的，豈不是已經達到了嗎？這是擒賊擒王的手段，我並不是想不到；不過，妹妹！再想深一層，我們這種願望，還不過是泡影，再也不

能實現的·

在這社會中間，受種種無意識的影響，有那一個不同流合汚的呢？就是口頭上日夜嚷着改良社會的先生們，有幾個是能誠意求社會的解放？有的，不過當作一個投機事業呢！一面吹牛皮，一面拍馬屁，社會上不少這樣的人，社會還有改造的希望嗎：明知其努力之無用，而空耗費精神，還不如談談戀愛算了罷！

長篇大論地說一篇大道理，實在可笑！然而·我相信你不會笑我的，因為我說的話，或許是你想說的話·頭痛得很，明天再見罷！

你的愛人

殘痕

汪幹廷

R君；

『……吾以孤子之身，飄然入世，僅持吾腦與兩膊，以與無數人羣相角，爲勢至危。……

『須知社會惡德，直如傳染病之流行，能使人類靈魂日淪汚濁。……

『屢受社會揶揄，知世人沉溺已深。……——以上節錄慧刼

我是不應寫信給你，更不應在你絕我之後，但是，我是不能不寫這封信給你的喲！我寫這封信時，是毫無別意；而你或者覺得是可疑的！那麼，就請你念着前時的友誼來原諒我罷。

我自得T君在書信上介紹你與我作文字的朋友，已經兩年多了。在這兩年之中，童年的你，我是萬分欽羨你的豐富的智識和文學的努力，更爲着你困苦的環

境：(見一九二三，七，十六你給我的信)便觸感起世間流浪的我，發出了人類的相憐，少不免時時奏着同調之歌，有時感到：『同是天涯淪落人，』所以就由淺薄的社交，而成爲兩性的知友。(見一九二三，五，廿三你覆我的信)我因爲人情上的交際，友誼上的驅使，和着從未會過面的你我纔會送給你那張照片。當我給送你時，是從未有想着將來禮拜室上，披輕紗，衣雲維，捧着嬌艷的花球含情傍我而立的是你，——或者，你和T君會疑我有這樣的想念，而我則完全沒有這樣的想念，我非但沒有這樣的想念，我更不敢有這樣的想念啊！

光陰走得眞快，好像流水般的過去了。不堪回首的陳迹，還幕幕刻在我底心頭，——記得：『……現在我的居處是沒有定準，終日漂泊罷了。我是個有父有母的孤兒；現在如無父無母的孤女，……』唉！這是你童年的悲歌，亦是我心靈上深刻的表記，——呵！彷徨歧路上的我，能不洒着同情之淚嗎？然而，人生原合是漂泊的人生，又叫我怎能不感覺到深一層呢！

在我們友誼的過去一段落中；來往的書信，多半是文學上的討論，或者有時放出一二聲同情的悲歌，這都是你我人生的共鳴之聲能．我爲想不到在這年之中，竟會留下人們指摘爲慘綠少年的是我，更想不到智識超人一等的你，竟會將游蜂浪蝶的面具，戴在我的臉上呢！唉！世間的事，眞是使我難料啊！

Ｒ君！我的往事你是知道的，我的人生觀你是明白的，我對於我的生是非常厭惡的，我對於世界是非常漠視的，不過我已生了就不能不設法以度此生，我已打定了游戲人間的主義，那裏還有什麼人生甜蜜歸宿的念頭呢！

這種人與人的隔膜，我幾次總想用强勉的力來打破牠，無奈人間虛僞得可怕，怯弱的我終至於無力而長嘆罷了！我近來極不願給朋友通信，當我提起筆時，心裏更覺無限的辛酸，就是寫上紙來，亦不過滿紙哀音，所以我總想噤若寒蟬，再不願發那凄其的殘聲了！而，浮萍的人生，歸宿又不知在於何處？假若我今日不寫這封信給你；或者明朝我經已『駕鶴歸眞』，那麼這種糢糊的隔膜，總是沒有

打破的時候了．因此我便勉強留下些餘影殘痕，或者在你清靜的閑時，會得悚然覺悟到我的抑鬱的心愫罷！

現在你是一帆風順了，不似我受羣衆指摘……人們的唾棄！唉！被人誤解實是我的一生的不可祈解的命運．我要說，我是蠢子，生在虛僞的人間，求那所不能求得的：又焉能怪別人呢！我只祝福你前途之花，如火如荼，無限的新事業都從此發軔．至於我呵！請你便念着朋友一場來寬恕我罷．夜深了，我不能寫了，就此擱筆吧．祝

你前途幸福！

我　儂　　二四，五，五，夜於ＣＴ城

—50—

初秋之夜

瓊彩女士

蒸鬱的空氣悶住了傍晚的庭園，半白半紫的香花在追逐着如火的驕陽的黃昏中沉沉地，沉沉地昏去．模糊的輪廓的一切迷影之中，任什麼都格外顯出疲倦，和抓拿不着一件適意的東西．

庭園的三面都圍以短牆，矮屋的窗格透出來的一片濛暈的燈黃的燈光遮擋了其餘的一面．園外的斷續的孩子們的譁笑和喧嚷混和了斷續的炎風在樹巔繞轉．

被了滿身汗沫的志侶，斜閉着她的乍醒的瞳子惺忪地在瞧着半園的慘紅翠綠的香花在懶懶地發軟，剩霞消失了的時候，黑幕輕輕地覆蓋了一切隱約的殘影，病黃的上弦月薄薄地透進絲梢，志侶躺在發燒的塗勻了白油的籐睡椅上，心裏凄憶着那晚她手栽的玫瑰被蹂躪而毀墜！本來暮夏的香花經已瘦黃了許多，自然醉人的玫瑰也不過在掙扎牠的最後的呼吸，經了牠的許多異性朋友的混摘和狂吻，

弄得一瓣瓣的香嫩的紅片，枯萎地散在草裏。

突然一種憎惡的怪念萌起在她的心中。她感到她的異性朋友的卑汚，她感到自己的心情是時時被人投在誤解的爐子裏。這時屋子裏一陣陣麻雀牌的嘈雜的清脆的聲音，使她感受着一排密集的冷箭向着心靶激射。

——呵，我眞不明白一個女子的心情總是沒人完全了解的喲！——動情的憤懣使志侶非常不安起來。她爲着自己的心靈找不着安放的盤子，使她幾乎要狂痛地大哭幾聲，然而一股輕熱的香氣烘着她的全身，煩燥中她稍爲回復一點安靜。

志侶，確是個美貌的年輕的姑娘，她的全身幾乎沒一塊地方不惹得長跪於她的周圍的癡心男子的一百九十分的讚美！他們都卑屈了自己，美飾了自己，想博得她的愛悅；然而不幸的他們總莫想到這樣一個嫵媚的姑娘，她的脾氣是怎樣地怪異和孤僻

她雖然瞧不起在她面前獻媚的任何一個男子，但青春是恁般寂靜地微愁地逝

了，飄飄地逝去了！性的壓逼和青春的憐念都使她覺得非常惆悵，非常恐怖！時常她的驕傲的冷笑只好向虛壁施澤。

以沉着的舉動她慢移自己的身軀，慢移自己那滿儲以惶悚，悲哀，憤懣的野火所燒灼的身軀跪倒在玫瑰的叢邊。

三朵殘餘的玫瑰，她吻了又吻，吻了又吻！她睡倒在殘花之上，用決絕的手指把剩了——僅僅剩了的三朵玫瑰捏碎了！灑在她的髮間，胸前，臂上！一陣的冷笑，她沉沉地昏睡在荒凉的殘暴中。

漫天閃耀的紅星，眉兒藏驕的黃月；淡淡的燈光，離離的花影；都曾在這個富豪的處女，富家的無邪的處女的心中，留下個深銘的哀影。不錯的，她的自思自想是沒錯的！本來說到金子她可以把牠堆成山丘，供自己登陟；說到面貌她可以買十個美貌的青年來挑選；說到高深的學問她那付迷人的臉蛋可以誘蠱個深沉的冷酷的哲學家重復燒起青春的盲目的情炎！然而總是少了一件不知什麼東西，

誠然，志侶的心中總是缺乏一件東西！

在父親的抽屜裏她無意得到一柄短短的手鎗，抖抖的寒光從鎗殼閃耀出微笑．她把牠撫摩了一回，細細地撫摩了一回；拿衣袖去拭淨了清清的幾顆淚點之後，她不禁一陣狂笑．

紫色的一灣月亮高高佇立在西空，一切都靜沐在神秘莊嚴的淒冷而低暗的法象裏．一點兒也沒有蟲聲，一點兒也沒有人聲；志侶的白衣受海之夜風擁抱，飄飄在消魂的輕柔的沙灘上，掩映着海底的繁星………………

傷痕

李笑花

鮮明豔麗的蝶兒，在萬綠叢中很翩躚地自在地飛着，有時廻到那紫紅色的玫瑰花前，不停地將它眷戀。

牠穿着五色繽紛的衣裳，配着曲綫美的羽膀，誰也不讚揚牠的美呢！

幾個輕衫短髮的小孩，散步在這豔陽天氣的小花園裡；手執着白團團的紙扇，停在像瓜棚般的樹下憩息，納涼。

忽然發出很高興的聲音道：

『喂！呀！呀！來來！你看這可愛的蝶兒，戀着美麗的花！妹妹！來！我們捉將牠來，取牠的羽膀，插在我們的襟旁，戴在我們的頭上！』

他們便一簇的擁去，將那團團潔白的紙扇，向着那蝶兒撲去，豔麗玫瑰碎了；祗一片一片的洒下來。

那飛翔自在的蝶兒，受這強暴的侵犯，靜悄悄地躺在那綠葉重重的牽牛花裡。

可是一羣小孩，沒有銳利的眼光，失意地說聲：「放他走了。」便向水聲淼淼的流溪那邊兒去了。

蝶兒雖得那綠葉的維護：不致斷送牠的生命於那受了强裂的佔有慾支配着的沒多大意識的小孩手中，然而受了那種無情的打擊祇是不停地發抖，不絕地歎息；有時想到那受人侮辱的原因，恨不將牠自然生成的美麗羽膀，毀滅個淨盡，免致受着人們摧殘的愛。

涼風一陣陣透地吹來，蝶兒經過幾分鐘的憩息，精神清醒了：體力復原了，於是懶懶地飛起來，看見紫紅的玫瑰花，經已憔在地落在污泥！牠的敵人——小孩，也不知往那裡去了。

於是很自在地翺翔，很翩躚地廻舞，祇是美麗的羽兒，總覺得帶着些傷痕吧

——有時無心地飛到那紫紅的玫瑰花前，又不覺灑了一些傷心的淚！

一九二六，七，一．

—58—

冷笑

羅西

夫文：

親愛的朋友！你遠在北京，而我却在這個淡然無味的廣州，比起你來，眞一萬個不及。對的，你整天在嘗着這塵土飛揚的風味，也難怪你會想起故鄉；你整天在嘗着孤寂的苦味，更難怪你會想起故鄉中有個不長進的我！

我和你同去北京的時候，我們都是抱着一股熱勁的，一股熱勁的希冀的。你沒有忘記了吧！船泊香港海面的那個黃昏，我和你並肩在船尾的艙面臨着起一絲絲的顫戰的可憐的碧海，夏夜之晚風送過來一陣陣的煤臭，斜陽疲嬾地供在海盤之上，像一個熟透的木瓜。海線上面凝着一片一片的紫紅淡抹的浮霞；茜紅的晚暉從霞翳之中透射出來，穿過不十分濃密的小船過後所遺散的青灰的煙絮，搖搖欲滅地輕輕地輕輕地依在皺波之上，依在碧綠的蕩着數不淸的金鱗的皺波之上，

癡霞和灰煙的夾層裏又不時會閃鑠地呈現着海上的孤鳥的輪廓的影子……哦哦！那是多麼愉快喲！那是多麼飄爽喲！

夏夜之晚風從衣袂裏把日來的煩熱趕跑了，月也吐出她的芳華，朦暈地籠罩了你和我。我們都注目瞧着海沿上那些灰青斑駁的夜雲所幻成的奇字。哦哦！夫文喲，那時我們是怎樣地熱戀着自然之風光！那時我們，作算你也是吧，我們是怎樣地熱戀着希望之夢影！……哦哦！那是多麼地愉快喲！那是多麼地飄爽喲！那又是怎樣兩個，作算你也在內吧，兩個純白的無知的孩子喲！

夫文呀，那時的我，確感到世界上一切的美滿與歡娛！那時的我，確感到生命之醍醐的芳馨與甘冽！那時的我，確感到青春之嫩葩的妍麗與嬌柔，那時的我，已迷醉於美和愛的揉合而成的細緻之中喲！往昔一切哀惱飛去了，而我的心情早合了自然的温輭之魂擣成一片，溶成一片！

——你看這次我們不會失望吧！

——這却說不一定，不過，我看總有點把握！

——哦哦……

——夫文，你不信我的話嗎？你要瞧瞧他們……

——這也很難講！

——你老是這個樣子，其實呢，像我們這樣的努力去幹，有多少是及得上的！

哦哦，夫文呀，親愛的朋友！你的勇氣我眞是佩服！你的驕誇是你的天才喲！我萬是比不上，我萬是比不上！在中央公園話別時，到現在又是一年了！唉唉，一年，一年，一年，又一年！我老是越過越瞧見世界的醜惡，越過越看穿人生的卑鄙！要是有你在旁邊指點我呀，我想，至少你這個親愛的沒勇氣的自私的懦夫，不會墮落到像現在這個樣子！

夫文喲，親愛的，親愛的夫文！我雖是生在湖北，長在陝西；我到底是廣東

人，我到底不能不依戀我的故鄉，記得和你一塊兒離開我們的故鄉的那一夜，到上海去的凉州號在午前一時啓碇，你很疲倦，先睡了，只賸我孤另另地獨個兒無力地凭倚着艙面的奇冷的鐵欄……一陣登登的汽機所發出的凝重的雜響，跟住便是船尾的浪花的咆哮……哦哦！船和碼頭告別了，船和白鵝潭告別了……！等到我們的船和碼頭的雪亮的燈兒也到了終須一別的時候，我便抛進一個無邊的黑沉的幽潭之內！

「哦哦！哦哦！別了！」我的眼淚和黑空之毛雨混聚着灑向海裏，我忍不住高聲狂哭！「告別啦．母親！可愛的慈和的母親！告別啦！故鄉！故鄉的一切！」

在上海的共和旅館裏，我睡在房內向天花板呆望時心中的欲絕的悽惶！我倆跳下了順天輪船，我坐在黃包車上向天津到北京的車站去的時候心中的哀厲的悵惘，都足以表現我的鄉思了．

唉唉！夫文喲，我早知道，眞的我只要早一些時候知道我的可愛的故鄉是已

—62—

經給野獸佔據了的時候呀，我願乾脆地死在北京！

夫文呀夫文！你也許會說我是太悲觀了，你也許會猜想着我是放縱和狂浪，你要是這樣想時，那你一點也沒有錯。

然而消極和縱恣之中，我也自有我自己的努力。一切旁的都在譏笑我的不規律的一切，他們有善意的勸告，他們有冷臉的諷嘲；或者，在他們眼裏透出不屑的光芒，或者，在他們鼻裏發出鄙棄的嗤聲。

我不但不管別人的冷嘲熱駡，在我的靈魂裏，他們都是些比低等動物更低的東西！比低等動物更低的東西！

我覺得我和他們眞的再不能同住一塊兒吸着空氣，他們存在的時候，我只好把我自己消匿！然而我自己要不降服於他們，我要維護我自己的生命，我更要維護自我的靈魂；那麼，我想毀滅一切，我想扭碎他們的靈魂，或替他們再揑一個！但危機終於給惰性吞蝕了！

人，求其是一個人，夫文呀，你說，誰個不是混身披滿罪惡的，誰個的罪惡不是和年齡成正比例的！夫文喲！在我眼前的一班中年人的他們的墮落，罪惡，偏私，殘忍，妬忌，狹鄙，自利，醜惡，是沒有人及得上的！自然，其中也有不少胆小的，忠誠而不敢則聲的儒漢！我自己呢，夫文呀，罪惡不是沒有！不過，我的罪惡是他們見不到的喲！他們見到的是我的高潔，眞情，摯誠的流露！然而從他們那灰黑的網膜透出來的眼光中顯出來，把紅色變到紫色！把人心看到豬肝去！於是他們開始詛咒了，於是他們開始殘酷暴厲的攻擊了。自然，親愛的夫文呀，是我打敗！——你看社會上都是穿大禮服盖覆着瘡疤的！哈哈！哈哈！——夫文，你看你的好友多麼幸運、把許多東西都放在顯微鏡下看得淸淸楚楚的了。在我發現了許多東西的隱藏的罪惡的時候，覺得自己似乎比他們高一等一樣，似乎他們的庸擾紛煩，都是在我脚底下的浮浪。

那是一定的：他們在犯着罪惡！他們在掩着罪惡！他們在攻擊罪惡！

夫文喲！你想想看，你見過乞丐犯强姦罪的沒有？

哦哦！夫文喲，我的鄙棄，厭惡，悲觀，放縱，努力，你都曉得了吧！我，哦！我是一個率眞的人喲！『我湖』之畔不是蜿蜒着那深紅而熱烈的情流！

今天精神不大好，別的第二天再譚．

日安！

太文　七月九日

高皐拉

羅西

『我先到模漢那里，叫他們三姊妹預備停妥，回頭你們這邊吃了飯；到那邊找我．不過你先得計算一下，到底我們四個人去到那邊，方便不方便？』

『露姑娘，方便是沒有不方便的，不過你要叫他們趕快預備，我們已經開飯了，一吃了飯我們就要去的！潘姑娘還約了我們在碼頭會齊哩！』

——潘姑娘，呵，不阻你們吧？——可是她却改變了語氣：

『好！王姑娘呢？她去不去？』

『去的！也在碼頭會齊．』志培很自然地說着．

露芙別了志培，貴隱，笑憐之後，忽忽地向模漢家裏去．她的紅唇差不多歎息得裂開了四片．一個少女正在她相識的青年男子之前面訂同遊之約，還在神經衰弱的露芙，已經覺得是一百二十分的榮幸，一百二十分的足以自驕！她自己想

現在直像一個中世紀的法蘭西的女宮主一般地受人崇敬，受人愛護。

她迷惘地到了模漢那里，她迷惘地敲了兩下門。

芝妹把門開了，之後，嘴裏還帶着油膩。

『心姐呢？漢姐呢？』她帶着充足的妙齡處女的笑意，漫不經意地向離差不三十丈的笑憐的門口張望着。

『進來吧！露姐！她們老早連飯都沒吃飽便裝束好了，現在正等得心焦呢。』和男子接觸剛曉得羞澀的十五歲的芝妹，不住地用手揩着嘴唇。

露芙，是一個驕傲而奇特的女子，在男女同學的凱謨學校裏，她的成績還算不落人後；可是在她差不多要畢業的時候，因爲她開罪於兩個陰險的教員，便把她前許多年所希冀得到的畢業文憑給消滅了！漢是她低一班的同學，漢的妹子亦是她低兩班的同學，都於她被開除的時候，也以「操行不良，難期造就！」八個字被學校擯了出來。他們所最愛的小芝妹，倒還在凱謨念書，和志培，貴隱，笑憐

—68—

是同班的同學•

的確的，露芙的容貌却並不美，而且最大的缺陷是她的家境並不充裕•她的爸爸在香港供職，月薪得不了多少；她沒有兄弟姊妹，只有一個頭腦很舊的媽媽•這種種事實的結果，露芙的境遇是非常壞的•

露芙沒有如雲絮般的頭髮，沒有鐘擺似的金邊鑲碧玉的耳環，沒有把臉塗成白中帶紅，沒有綠色曳地的長袍，沒有妃色的背心，沒有閃光的絲襪，更沒有驚人的小革履和一切處女應有的東西，像普通的學生，她的確只是一個學生，而非社會上的一員，社交她是羨慕而且妬忌的，青年女子，誰不會拿別人和自己比一下？但她對着社交的異性接觸，却有點不敢和自形殘穢！呵，一個女人沒有給金錢給她披住，却真的是一團殘穢的東西喲！

那一天她和漢去看影戲回來之後，頹廢地坐在一張皮椅之上，就想起自己和笑憐的關係：「將來………」她立刻發覺這是自己的荒謬，沒有誘感力的女子配

和一個活潑而溫柔的少年，想到「將來」嗎？她立刻發覺自己的卑賤，發覺自己的齷齪，簡直像猪欄裏一頭泥汚滿身的小猪母！

——漢姊和貴隱怕沒有問題吧？——自己雖然沒希望，但她的確希望別人的成功。——見笑憐的樣子，不是完全對於我沒有意思的呀！從他的接談裏，從他的書信中………哦哦！………漢姊雖然也不大修飾，到底要比我漂亮得多！——她含着些微點子淒意地悄悄地在桌子上拿了一把小鏡子，對着自己的面龐，鏡中的影子的眼淚正嵌在那一塊黑黃而微有六七顆麻子的臉上。

今天她的確比往前幾天漂亮得多，素花的竹紗上衣，白地藍點直間的洋布褲子，到學校裏去的黑到差不多灰的許多皺摺的裙子，今天沒有穿：媽媽說沒有大事出街不准穿的皮鞋，今天居然用黑膏擦亮了許多。露芙從她一步一響的鞋兒看來，今天的確能引動全街人的注意，就是笑憐對她的態度也大不同前，這到使她更要特別裝成是一個十分嫵媚而很畏羞的處女。

在她臨去前擦鞋的時候，她忽然想起：自己的決心那里去了？自己的驕傲那里去了？自己的勤奮那里去了？她給學校開除之後，也曾向自己的靈魂發過誓：自己決不在這混濁的腐臭的社交場中尋求配偶，一心聽媽媽作主；自己決保留自己冷傲的孤僻，不讓人知也不和那些心靈卑俗的人們徵逐：自己決心致力學問，不顧一切，立起學校既判以「難期造就」，便自己「造就」的決心！一個現代的不幸的女人，當然要毀棄愛呀！她望着棹子上一堆堆的紙和一本本縱橫錯雜的書，她不禁呆住了。『今天是端午節呵！』她忙忙地擦亮了皮鞋，鞋皮的返光處滿浮着笑憐的微笑。

『你們用什麼太忙呢？我連臉也沒洗！』芝妹從手巾裏攢出紅潤的臉來，譏誚着心姊。這時的確心姊最忙了，又找小手帕，又不見了襟前的金扣子，又忘記了帶錢袋子。然而從她的眼光看來，芝妹似乎串通心姊在挖苦她和漢姊。

『露！我們和他們坐車子去好不好！』漢終於發言了。

『不行不行，第一誰有許多錢請坐車子？第二豐寧路和太平路筆直和山橫斷脈一樣，坐在黃包車上簡直是受罪！』心表示否決，漢的提案。

『今天看龍舟，坐的是什麼火船？』芝妹扭身坐在漢的身邊去搶漢姊唇縫夾着的香煙。

『笑憐說的，今天坐的是他的叔父做買辦的小火輪，叫做「高卑拉」的。』露芙很高興地說。

『呵，露！怎麼一定是笑憐說的呀？我看是貴隱說的吧！』心把眸子睨着漢，像是察視漢姊的臉色，淘氣的芝妹在漢的忸怩中大笑起來：

『哈哈！露姊說是笑憐說的，漢姊說是貴隱說的，都不錯，心姊呢？志培罷！』

漢，心，和芝妹都大笑起來，露芙歪着臉向着天井的蘭叢，像是有特別的難言的隱處和傷感。

等得不耐煩了，都贊成去找笑憐。到了門口，笑憐的母親正跕在門外：

『他們不等你們，先去了！』

『呵！先去了？』露紅着半邊臉，淘氣的芝妹狂跳着：『呵呵，高卑拉！告別啦！高卑拉！告別啦！』這時長堤外面的龍舟鼓冬冬作響。

—74—

躊躇

羅西

『就順着這樣做下去，究竟未必，而且，印專集定要虧了本！』我把那一疊稿子推開，抽了一口香煙。

本來幾星期前，我就想給她一封長信，猶疑的就是怕她給我一個不理，那眞可糟糕了！世間上不幸的預料多數是會應驗的，晚上一進門就問媽媽今天有信寄來給我沒有，結果得到的又只是冷冰的空虛。

——哦哦，小蹄子！——怨毒只管怨毒，愛還是愛！我一些沒有隱藏地在信裏闡明我是始終愛她，前囘的冒失不過是一囘玩笑的事！然而我所不介意的東西別人多數是介意的，而且非常介意！不曉得她始終沒有愛上我，還是因前囘的開罪便惱了我？

——哦哦！你恃你有微金色的頭髮，你恃你有微黑的豐腴的面龐，你恃你有

誘人接吻的小酒杯，你恃你有小而圓的鼻子，你恃你有晶黃色的神秘的眸子，你以爲可以自驕自傲了！無知的量窄的小蓮呀，你這醜貨！不要以爲我這樣是低頭在你跟前喲！有日子我有威權時，我能揉碎了你一切的倨傲的美，你怎能不回一封信給我，你應該回一封信給我呀！哦，你眞迷人的女人！

日日來心頭的冷虛，酒似乎不能時常跟我掩護，眞的我給這毒蛇襲擊怕了！

『呵，我現在計算出來了，……』母親一脚踏進我的房裏，在靠板帳的斗方椅子上坐着。

『怎樣？』

『劉家的皮袍子，在雲南借了的，爲你爹去廣西的水脚當了四十多塊；陝西于家表大爺，八十塊……三百五十塊……連本連利二百五十塊……你爹……七十五……』

——哦哦！陝西？……那個同房住的滿洲太太的女兒千金！

—76—

每次一提起陝西我總不能不聯想起我的童年的愛侶那滿洲太太的女兒千金．我在陝西的時候大約是七八歲的光景，千金大約有十四五歲的樣子，她身材比我高得多，她兩個手的指甲通是拿鳳仙花來染得茜紅的，像大金魚的紅鱗一樣，她很愛我而且很慈和地時時撫弄着我，她的雙脚依滿洲的舊例是裹得很小很小的．在當時我對她不但不討厭，而且看她走動時一搖一擺的婀娜的腰肢，總覺得她有不可言說的媚態！

我們兩伙人共同的廁所是在屋後的大院子的，院子的三邊直立着一道高牆，院中間一株大樹——什麼樹現在却不記得了，當時也不曉得——樹上寄生的籐蘿覆蓋得整大院子裏都是陰陰森森的．她最胆小，當她去拉屎的時候總得要拉我陪她去，我要求親她的嘴，然而她當然是不肯的，不肯的表示祇是抿着嘴對我羞靦地一笑．

有一次我蹲着在她的對面陪她，我完了她還沒有完，那時除了我們這些外省

到那里的僑旅外，陝西的土民還保存着他們那用石片和樹葉揩糞的遺俗，我用腳把她拾好的石片踢開了，硬要叫她給我親親嘴，她無奈何歪了頭紅着臉給我親了許久，我才摘了幾塊樹葉給她。

——呵，幾多次秋天的黃葉在我的面前飄落了之後，我的天眞呀那里去了？我那童年的喜悅呀那里去了？唉唉！要得到些微點子沒有拘束的愛之境界，還要到童年的陝西去呀！哦哦！，這些都好在夢裏諦觀吧！可愛的千金現在要變成泥髒滿身的婦人了喲！

『作算你每月有一百塊錢的進子，拿六十塊囘來，還要年半才能把我們的臭賬償清哩！』

『千多塊錢的賬究竟不算一囘十分了不得的事，不過年半……唉……』第二枝香煙又夾在我的唇縫裏。

——媽！你不要對於你僅有的兒子做這樣逾分的希望了喲！我那里會這樣仰

承上司們的色笑以至於年半之久？我並不想博得清高的令名，我實在不配當這麼一個科員呀！——這些話我卒於沒决力可以把他們從辱裏推出來，對着這麼一個垂老而慈祥的母親，比聖母還要慈祥而仁靄的我的媽媽，我實在沒有絲毫的勇氣去揉碎她那朵唯一的希望之花喲！——媽媽！恕我吧，恕我吧、恕你的不孝的兒子吧，他實在不能實現你的希望！——我咽住了一切的悲哀，羞醉裏似乎要跪在母親的膝下痛哭：「你兒子受盡世人的欺負了！」然而七八歲時的童年的春光，消逝得遠了！消逝得遠了！

——小蓮這樣侮辱我，許多給月經帶牢牢地扎住了眸子的親朋戚友這樣對我加以藐視的指摘和嘲罵，都是我自己不爭氣而招致的呀！我自甘沒有匍匐地下，從金神的胯下爬過的能耐，又何必爭這一分的短長喲！算了算了，管得許多？他媽的！——隔房母親放下蚊帳的銅帳鈎子敲得牀橫木的的作響。

我把買來的呈文紙攤在棹子上，正預備寫一張理由充足的辭職呈文；媽媽的

—79—

乾滯而緊促的咳嗽聲，陣陣地直向我的心窩兒鑽進，我禁不住打了一個寒噤，眼圈濕潤了起來。——哦哦！媽媽年老了喲！

『維西！』慕韓突的在房門口向我打了個招呼。

『這麼晚？』下意識地我把那呈文紙藏了起來。

『剛打過九點就算晚？哈哈！不用藏了，你寫你的，我不會從中破壞你和小蓮這對小……』

『瞎鬧！瞎鬧！』

『但見淚痕濕，不知心恨誰！小蓮不會作弄你吧！』

『好孩子，三爵一枝，不要放屁了！』我揩了揩殘淚，强笑地把一枝香煙遞了給慕韓。

在勉强歡娛的縱談中，差不多經過了三個鐘頭，從他的報告中，我又得了小蓮對於我的殘酷，可以使我流淚的消息，許多使我自傷的消息。

——够了！都夠了！——我深深地深深地感謝我的朋友給我帶來如許的消息，尤其感謝許多朋友給我造成如許的消息！——對於人世間的不幸者，你們正應分儘量去踐踏他呀，我的朋友！——

慕韓去了，剩了孤淒的我，伴着孤淒的燈。

「……職母以風塵勞頓，夙罹痼疾……」這又把我帶到已成陳跡的童境：是陝西西安城中我們家裏一個愁慘的空氣最緊張的夏夜，那時我用盡我的理解力才辨析出媽媽是病得很重了。更由二表姑媽的堅持的提議，請了一個會畫符的神秘的人來，我又曉得媽媽的病是神秘的。

藥煮好了，他們又把畫符先生的靈符燒化了放在藥裏，媽媽總是不肯吃藥，爸教我跪求在她的牀前，她才算把那碗藥一口口慢慢地呷下去。千金跕在我的身邊，用手在我的肩頭推了一推，我轉過頭去，她擠擠眼把手指放在嘴唇的底下像

在訕笑我，我悄悄地用力在她的隔肢窩捏了一把。「呀！」她羞笑地叫了一聲，全室的目光都聚集在一個焦點上。

媽媽把藥吃完了，千金和我都睡在天井旁的竹坑上玩着。清寒的更深的月亮抖抖地灑得我們身上和週圍都鋪滿翠紫的光珠，寂靜中她的臉色越發蒼白，她那雙呆滯圓小的目光睨住了我全身的各部，眸子裏充滿柔媚而可憐的無力的神彩，平靜的呼吸輕輕地撫弄着我的短髮；她把身體更蜷曲了些，我的頭兒差不多都擁入她的微顫的懷裡。一手輕按着她的左乳，我抬起頭看見她的眸子凝着兩顆癡蕩的淚珠。

『千金姐兒，千金姐兒！……』我們互相緊緊地摟住了，我的手不停的伸到她的胯下…………

『阿玉！還沒睡呀？』是我的媽媽的聲氣。

—82—

※　※　※　※　※

『阿玉！阿玉！你還沒睡呀？你總是不聽我的話，勤力用功不是不好，不過你天天這麼晚了還不睡，明天又得要十點鐘才起身，是頂沒益的！』

哦，母親！哦，母性的仁慈！今年的母親還是那年的母親，今年的我不是那年的我了喲！我震戰地觸到棹子上齊好的一疊稿子，我的眼兒只含淚望着那張模糊的已經寫好的呈文．——！母親喲，你還能為我的身體着想，我可不能為你的衰老的身體着想了呵！母親，我不是不曉得這些賬目，這些不能不轉利的當票足以促你的精神和體魄衰老！呵，可是，可是你的兒呀，他受盡世人的挫辱了喲，媽……………眼中只有汽車，跳舞，閃光的一切的小邁…………我寧願不要你！不要你！………

在長時間的迷茫錯亂中，我悲哀地取出了印章，眸子充滿嫉憤的火炎．

—84—

西湖紀遊選錄

鄭仲謨

一

我們來時，
正是西子晚妝的時候．
那湖上的煙波呵，
已迷朦了遊者的歸舟．

這晚風吹得令人生涼，
這碧波揉碎我的心腸，
再莫吹那哀怨的銀簫吧！
天浪，天浪！

二

曉霧濛着碧水，
白雲抱着靑山，
那睡起梳頭的西子呵！
晨妝懶惱。

走了五里已到靈隱古刹，
徒步旅行眞是快活！
那北面的高峰呵，
——巍峨，巍峨！

曲曲折折地到了韜光，
參天的竹子生在兩旁。
快些上來吧！
慶雲，鏡波，惠卿，天浪……

巍峨的北高唯我先登・
遊觀了片刻再喊他們・
哦！看呵！
我已騰上了青雲，我已做了北高峰上的至尊！

哦，看呵！
那錢塘——灣灣山曲；
那四面——山山樹樹；
那平野——村村莊莊；
那遠處——雲雲霧霧・

哦，看呵！
那蘇堤——直直地一線；

那三潭印月——青青地一片；
那湖心亭和阮公墩——黑黑地兩點；
那平湖十里——團團若鏡，
好似老天設着
來照我們人類惡濁的容面．

山是這般地青秀，
水是這般地溫柔，
魂呵，對着這美妙的自然，
還追憶着往舊？

三

花明，鳥語，草秀，
淸風拂面溫柔，
這快意的晴空呵，

—88—

朵雲無有！

槳兒慢慢地搖，
划兒輕輕地飄，
那溫暖而柔和的日光，
只望着西子懶微微地笑！

那裏是雷峰！
而今已坍成一荒塚．
呵！荒塚，荒塚！
你何年何月冉變作雷峰？

我心愛雷峰，
我也愛荒塚．

當年的荒塚變雷峰，
而今的雷峰成荒塚。

你美麗的荒塚呵！
願你把我的憂愁埋葬，
別要讓它再入我的情懷，
長感着苦悶的悲傷！

四

路旁的楊柳慢慢兒搖，搖……
空中的飛絮輕輕兒飄，飄……
我憔悴而癲狂的心兒呵！
只隨着那湖面的銀波漸漸兒渺，渺……

小青，你薄命的佳人呵！

—90—

生前你做了殘暴者的犧牲，
死後只落得這堆黃土，
埋葬孤魂！

這岳王古廟壯麗，巍峩，
這瞻仰的男女去來如梭。
你耿耿不昧的忠魂呵！
古今呀——不磨，不磨！

這斜陽寂寞滿墓園，
這父子骨肉葬兩堆，（岳飛與其子岳雲墓毗連。）
我有訴不盡的傷情呵，
一曲悲歌，兩回憑弔，幾次低徊！

病中偶成

鄭仲謨

眼前滿布着一片一片的愁雲，
耳邊充塞着一陣一陣的悲聲，
鬱悶而又鬱悶，
呵，叫我安得不病？

我看不見她那活潑的精神，
我聽不着她那婉轉的歌聲，
思忖又思忖，
呵，叫我安得不病？

幾次夢見她，
她總是含笑相迎，
記得一回夜裏，

她讓我親密的接吻，
醒後只有悲哀，
呵，叫我安得不病？

我禁不住我輾轉的呻吟，
我收不回我狂了的詩心，
長夜漫漫地相思，
呵，叫我安得不病？

思念着我親愛的M，
追懷着我死去的N，
無處訴的慘懷，
呵，叫我安得不病？

—93—

懷舊

卓如

也許你的愛情有點不純潔，
但是，這又怎能成爲我眷戀的障碍；
也許眷戀是徒增悵恨，
但是，又怎能消殺我心頭火一般燃燒着的愛？
姑娘喲，我願長跪在你的面前，
在那裏可以細看你滿陪着笑容的嬌臉；
我願長跪在你的足邊，
在那裏可以細聽你滿含着詩意的低吟！
我願常得到你的撫摩，
我願常得到你的擁抱！
我寧願喝了你的溫柔之酒而沉醉，
我不願得着聰明人的指示而淸醒！

—94—

是短別吧，
爲甚別後總是消息渺然？
是長別吧，
爲甚我們夢裏又常相見？
誰說是前塵如夢，
誰說是往事如烟，
你輕巧的面龐永印在我的腦際，
你纖嫩的皓腕尙握在我的掌中！
地球不會就毀滅了吧，
我們會得再有一次重逢；
地球也許快毀滅了吧，
我們的魂夢也永留天空！

十五，八，二．于北京大學

井泉旁的一個浣衣女郎

馮慕韓

我寂寂地默默地走進了村莊
我茫然地在那微黃的滿鋪着小砂的道上
高高地懸在天頂的日光在發射着他的灼灼的烈焰
碧綠渾然的疎林中小鳥兒在謳歌着她們的清唱

我步入了那葱蘢的綠林
我步入了那曲曲的黯灰的濃陰的小徑
我目視着草坡上的搖曳搖曳的糢糢糊糊的樹影
我耳聽着碧叢中的清娛而柔滑的小鳥叫歌聲

遠遠的遠遠的徑旁有一口泉井

井石欄旁蹲有一位在浣衣的年青女郎
啊 她那雪白而反光的衣裳
啊 她那嬌嫩而秀媚的面龐
啊 她那絲絲的輕柔的美髮
可是那青春的嬌黃而微綠的幼草 挺秀於銀皚的細砂

我漸漸地漸漸地走近她的身旁
我的細微的足音 逗起她仰着臉兒向我凝望
用那最溫柔而可愛的目光

啊 兩道溫柔而可愛的目光
正在和我的視線投擲
嬌紅着臉兒低頭下去了
啊 我的心兒喲 起了一陣雜亂的波蕩

啊　我的心兒呀——波蕩
啊　我的心潮呀——作浪
洗刷衣裳的嘶嘐嘶嘐的音聲
和我的內心呀——交響

一會　她已洗凈了衣裳
斜斜地傾着身兒向我溜了一眼便走了
像是雲鴿兒一般走上我所從來的道上
踪影兒都隱沒了
只剩有疎疎的碧林
渾藏着小鳥兒的婉歌的餘響

一九二六，六，二四日夜半

迷途的野馬

殷 佩

淅瀝淅瀝的細雨濛濛地紛紛地落下，
點點地絲絲地飄進我的窗紗。
在這更深人靜凄清的凉夜，
唉唉，我的心呵，我的心呵，
是茫茫曠野中迷途的奔馬！

我空對着高臨壁上的愛神，
我何曾得她慈祥的憐憫？
在這茫茫宇宙中祇有彷徨，
祇有凄清，祇有恐怖，祇有失望！
我不曾得她慈祥的憐憫，
只空對着高臨壁上的愛神。

愛神喲！你縱有銳利的眼光，
你縱有駕翔空際的翅膀，
你又何曾知道，
在這殘燈下的我的心呵，
是噯噯的涼風還是熊熊的爐火？

在這漠漠的旅途，
我茫然地迷在黑越越的中道，
我找不着一線微弱的曙光呵，
我衹有抖顫地把悲哀向你哭訴！
唉唉，夜雨還是淅瀝地飄進窗紗，
我的心呵，我的心呵，

—100—

在這更深人靜凄清的涼夜，
是茫茫曠野中迷途的奔馬！

夢

殷佩

我默默地倚着窗欄，
一陣陣的春風，
把我愁情吹散。
我回憶昨宵的甜夢，
沉寂的心弦微微顫動。

夢裏的夜幕展開，
活現出豐腴的少女來。
她嫣然向我一笑，
使我感着無限的情愛。
我迷醉在朦朧一笑中，

—102—

我倆的目光互相注視．
春風吹拂我們的衣裳，
好像替我們互傳深意．

霜雪般的靜夜，
高掛着那皎皎的月輪．
我們悄悄地在月下親吻．

我們携手在花下徘徊．
月兒步步的跟着移照．
四圍樸面吹來的花香，
也感着我們深深的微笑．

忽然來了一陣陣狂風，

蔥蘢的樹林像狂濤般洶湧，
顫動，顫動，不絕地顫動。
明月驟斂了她的歡容，
我們彷彿墜在黑沉沉的大海中。

啊，黑沉沉的大海中！
意外的徬徨使我頓時驚醒，
我睜眼向我的四周顧盼時，
空剩着那牀前的月色朦朧。

小詩

殷佩

夜色深深，
小蟲還在低吟。
我傾耳遠聽，
那兒來的顫音？
是風動樹聲，
是蟲在哀鳴？

啊，
是風動樹聲？
是蟲在哀鳴？
那兒來的顫音，
使我凝神靜聽？

我披衣走出庭園，
我舉頭癡望天宇．
閃爍羣裏的星喲，
可知人立寒光裏？

薔薇小詩

殷佩

愛情輕暖如春風；
愛情飄渺如春風。
春風一去不復返，
愛情消化如夢幻。

愛情是宇宙一盞光亮的神燈，
神燈照徹宇宙萬物一切的心坎。
人如沒有愛情，
他的心終于是黑黯！

秋風吹散了片片的枯葉；

—107—

秋風吹散了朵朵的殘花；
可是，
秋風吹不掉我心頭的奔馬！

我蹣跚地走着，
我狼狽地走着。
我走遍了這汚濁的人寰。
神呀。
「愛情」在天國還在人間？

呼呼的風，
瀟瀟的雨，
飄搖了我的心，
留也留不住。

泛棹

殷佩

我輕泛着小舟，
我斜視着山頭。
高山是這麽青翠，
江水是這麽悠悠。

白雲從青山裏穿過，
天邊繚繞着一縷縷的霞烟。
我愛有流水，
也愛望天邊。

雲雀聲聲歌唱，
唱着醉人的新腔。

玫瑰頻頻開放
放出醉人的芬芳．

遠寺的晚鐘在響，
聽水聲與鐘聲相和．
那閃閃的微光呀，
可是初出的羣星還是點點的漁火？

低頭的蘆葦已在飄揚，
好像說你還不回歸故鄉．
你儘在這裏留戀徘徊，
你可知慈祥的母親掛斷了心腸？

—110—

無聊小歌選載

杜 憐

當我徘徊於此孤墳之間，
回憶那揖別紅塵的故人，
不知已流掉多少眼淚了！

我願隱身於森林中，
因爲那兒可以避免人間之汚濁；
我願孤立於高峯上，
因爲那兒可以喚醒人間的迷夢。

夢，
是最欺人不過的。

清晨我從睡鄉回來，
　伸我兩手去找血刃時：
呀！
我才知道愛兒欺了我，
　我何嘗手刃我的敵人？
嚴寂的月光下，
　我慢慢地徘徊於花園中，
熱淚禁不住流到眼裡：
我深深禱拜，
　萬能的上帝！
但願我雄心的哥哥，
　在這一刹那照臨我，
　　看能否踐行我的誓約——

—112—

　在臨終時發出的誓約：
我要做個中華的雪恥英雄．
我要用何等地激昂的洪聲叫出呀——
請恕罷．
　我親愛的雄心的哥哥！
假如中華不是這麼四分五裂，
　我儘能踐行我的誓言；
然而現在：
　退步的想清內訌且不能，
　　何況進一步去說雪國恥呢？
請恕吧．
　我親愛的雄心的哥哥！
你須知道：

殘暴的陽光，
　不是你弱弟隻手可以遮蔽的呀！

唉！我童年的女友是死了，
　我很恨當初識了她・
但是——我自從
識了她之後，
　我感覺過她的智慧，
　　感覺過她的精神，
　　　感覺過她的慰安！

—114—

枯葉

紅薇

——紅薇小歌之九——

是這麼一塊枯葉，
飄然睡在蒼凉的林中！
斜暉探頭在林裏，
林外微笑着秋風。
人兒低吟在泉邊，
蟬兒默默在樹巔；
芳草羞暈着殘紅，
幽麗的琴音，
欵欵地震顫地旋送！
那里徘徊着個失意的旅人，
細味着琴音的來處。

似乎是他所眷愛的姑娘，
似乎是他那生命的伴侶！
琴音忽然寂寂，
他悵然墮了下迷惘之宮．
呵，『悠悠生死別經年，
魂魄不曾來入夢！』

—116—

心潮

汪幹廷

朋友，
我們都是池中的浮萍；
在偶然裏相遇，
在沉默中分離。
乞丐，
眞是享盡人間的淸福，
不受環境的驅迫，
不受自然的束縛，
擺脫塵世中一切的煩惱；
但是，爲什麼人們總要詛咒他是人羣的落伍者！

小歌

紅徽

——紅徽小歌之十六——

哦，愛人呀，我的愛人！
怎麼你祇是這樣恨恨無語？
你不見嗎？
你不見嗎？
我倆的仇人呀，
我已經把他手刃！
怎你的眼淚呀，
還在眼眶裏徘徊不去？
還在眼眶裏徘徊延佇！

那時的明月下，

—118—

姑娘呀，
我忘却，忘却把你嬌靨看眞！
如今的明月下，
姑娘呀，
我只好對影傷神！

天上的月兒和浪裏的月兒牽連，牽連
給一條斜斜的黃線．
我倆那時含愁地對坐，
我倆那時都不敢發言，
哦哦！錯了喲，
這是我錯！

黑夜籠罩着小屋裏的暈光，

你正倚在牀沿苦苦地飲藥，
你病了喲，呵，你病了喲，
此番不能會面了，姑娘！
我摯愛的姑娘呀，
這渺茫的今生，
我倆還能否有個呀有個再約？！

夏夜的微風

——紅薇小歌之十九——

紅薇

夏夜的微風，
柔柔地蕩蕩地推送。
帶來的醉人的野卉的香氣，
飄飄地氤氳着我的心裏。

夏夜的微風，
柔柔地蕩蕩地推送．
——勞你帶個相思的音信給姑娘罷，
帶到她的房中！

夏夜的微風，
柔柔地蕩蕩地推送．
心裏感着深夜的薄寒，
眼兒把囘信在月下偸看．

夏夜的微風，
柔柔地蕩蕩地推送．
——勞你帶個相思的音信給姑娘罷，
叫她候我在籬東！

夏夜的微風，
柔柔地蕩蕩地推送．
忽忽拂過綠影兒單凉的花底，
忽忽跨過人影兒斜倚的籬西．

黑花

紅薇

——紅薇小歌之七六——

去了去了去了的仲夏，
殘了殘了殘了的黑花！
呵，你嬌小的姑娘，
怎儘躲進隨我心血而飄逝的紅霞？

我冒着白絮的重霧度過了昨宵，
我却不敢把你的門兒輕敲；
呵，你嬌小的姑娘，
怎儘對着我的黑影兒慘笑？
我把我的心兒縛了在枯朽的冷鐵，
我把我的魂兒寄了在狂悦的歡節；

呵，你嬌小的姑娘，
怎儘把我倆兒的天機漏洩？

你眼兒閃睞在中天，
你淚兒輕灑在葉尖；
呵，你嬌小的姑娘，
怎儘把我的眉兒緊在你的紅線？

我垂淚地陪着玫瑰的低飛，
你的紅箋兒來了！
我的淚兒擁聚在鼻尖，
我的心兒在滾油裏躍跳！

淚纍的仲夏，

—124—

心頭的黑花；
嬌小的姑娘呵，
安眠在我的心頭吧！

那一次的幽會，
總算在我倆兒的離隔之前！
這一次的偸哭，
只是我獨個兒最後的一便！

你現在去那里呀？
爲甚麼你不給我知道！
那怕你走到遠遠的天外之天，
我朝夕也會趕到！

你是遁向永永無人的荒嶺？
我也曾含淚地遍踏世界的高山！
你是遁向萬里無垠的碧濤？
我也曾含淚地遍搜世界的海灣！

夢裏欣喜着重逢，
悲夢裏憶着永別：
醒來是一無所有呵，
空虛混合着夜雨淒淒切切！

窗外的夜雨沒停地飄灑，
我心頭緊掩住了含暈的黑花；
呵，嬌小的姑娘呀，
你叫我牽掛也無從牽掛！

—126—

死人床畔(THE DEATH BED) *THOMAS HOOD*

白路譯

我們把她的呼吸看守了終宵，
　她的氣脈是軟弱而低沉，
像是在她胸中的生命的小浪的微嘯，
　做成她的起伏不定的哀吟。

這樣靜靜地我們似乎在默談，
　這樣慢慢地我們把她的軀體推擺，
我們已把半身氣力借了給她，
　令她多留些兒生命在我們的世界。

我們眞正的希望欺騙了我們的恐懼，

我們的恐懼和希望都受了欺詐；
當她死亡的時候我們以為她在靜睡，
靜睡的時候以為她是死亡．

晨光當轉來的時候呀，是幽慘而悲哀，
令人寒慄的淒雨呀飄灑陣陣，
她的眼皮兒悄悄地合上了——她在
比我們更適意的別個世界的早晨．

十五，八，六．

這篇譯詩是外來的稿件，白路先生把這篇譯詩並原文寄了來給我．我看他譯得也很不錯，很忠實；因此替他發表．其中犯了生硬的毛病的地方固不能免，不過他的長處在於字句和合義的忠實，以及韻底的緊湊．據白路先生：「原文的韻脚是怎樣的，譯文不能亂押；如本詩第四 stanza 四句的韻脚是一三，二四的，譯文也要同樣．」這足見他的苦心了．

羅西．

--128--

譯Jas Montgomery詩一首

——朋友Friends——

羅西

一個個的朋友呀離別復離別；
誰不曾失過一個朋友？
在彼此的心中並沒有纖絲在連結，
當然也不能將她倆末端尋就．
這薄脆的世界是我們終生休息之地，
生存與死滅也莫有些兒的可喜．

在韶光的飛流之前，
在死亡的幽谷之陲，
確有一個永愉永悅的園田，
那里不是僅有呼吸的生涯！

也不是僅有生命之愛的火熱，
　只在一瞬息的閃光與飛騰便消滅。
有那麼一個超然的世界，
　那里，「離別」是永沒人知；
有永恒的情愛，
　爲善者而設施；
「忠誠」嚴督着「死亡」，
　那里便化成個榮耀的極樂之鄉。

—130—

浪花與姑娘

羅西

——一——

哦哦，輕騰的飄飛的細沙般的浪花！
哦哦，輕騰的飄飛的浪花散作細沙！
我凭着船欄，
悄然凝神地攀着一鐵條根站在窗下！
靜靜數着波瀾，
懶懶眺着遠帆，
可愛的可愛的可愛的姑娘喲！
可能接受我內心的苦悶和愁慘？
浪花在珠江，
姑娘在堤畔；
哦哦，

終生的迷夢也沒得一朝卒想！
這其中深深地深深地埋葬，我的癡狂！
這其中深深地深深地吞噬了我的呆恨！
這其中深深地深深地浸化了我的待望！
這其中深深地深深地濡裂了我的創痕！
哦哦，我是這樣喲這樣的一個畸人，
哦哦，我有這樣喲這樣的一個賤軀，
沒有高尚的靈魂呀，
沒有耀軀的明珠！
哦哦，可愛的溫柔活潑而嬌憨的姑娘！
哦哦，可愛的溫柔活潑而嬌憨的姑娘喲！
我幾時呀才得你的怒罵？
我幾時呀才得你的牽掛？
戰顫的，

—132—

惶悚的，
我吐不出愛情的芳芽！
我抽不出狂戀的香蕙！
我只在心頭徘徊，
我只望汪洋灑淚；
蒸鬱的雲山呀無雨！
臨歧的隔別呀無語！
雨呀，語呀，都好向浪花聒絮！
哦哦，輕騰的飄飛的細沙般的浪花！
哦哦，輕騰的飄飛的浪花散作細沙！
我凭着船欄，
悄然地凝神地攀着一根鐵條站在窗下！

——二——

我蒼凉地踱過了荒蘺，
我蒼凉地跪吻着綠湄；
我吸盡浪花的青春，
我溫潤瘦損的蘭芝！
姑娘喲！
少女喲！
趁你們的膩唇還在鮮紅，
趁你們的媚笑浴在春風，
狂愛罷，
狂愛罷，
莫辜負了痴心的少年男子；
莫辜負了你們的雙瞳！
你們的青瞳呀，
你們的瓊肌！

你們的烏絲！
我嗅過了喲，
柔媚的倩麗的迷人的瓊肌與烏絲！
哦哦！
姑娘喲！
我愛你，
我奉你做我的冷傲的孤魂的永遠的王姬！
我愛你，
我供你做我的衰殘的頹蕩的生命的靈醫！
我願我的心血呀爲你而燒盡！
我願我的淚兒呀爲你而紛披！
浪花濺抱着我臉兒，
我恨望着雁影雙雙！
我咒罵你這撩人幽悶的雁影呵，

我痛恨你這倒映着雁影的碧江！
哦哦，難道這湧皺的碧江呀，
姑娘，是你，是你的酥胸？
哦哦，難道是湧皺的碧江呀，
姑娘，是你，是你的憂容？
姑娘喲，
少女喲，
趁你們的膩唇還在鮮紅，
趁你們的媚笑浴在春風，
狂愛罷，
狂愛罷，
莫辜負了痴心的少年男子，
莫辜負了你們的雙瞳！
你們的青瞳呀，

像閃閃的金鱗蕩漾，
蕩漾在
斜陽眷戀着的漣漪！
我是在你們面前跛走着的乞丐，
我是在你們面前輕拂過的微飈！
唉唉，是永不會得到少女之悅愛的喲，
是人人憎惡，鄙棄而嘲笑的行屍！
我蒼凉地跪吻着告別的綠湄，
我蒼凉地踱過了枯朽的荒籬；
我雖然吸盡了浪花的青春，
我却離溫潤回瘦損的蘭芝！

——三——

我從前眷愛過一個姑娘，
我曾經把她的唇浪偸嘗！

在臨着紅花的湖畔；
在抱着碧波的橋旁．
不住地吻着柔髮，
不住地淚兒流呀流下了她的素裳！

我從前眷愛過一個姑娘，
我曾經把她的唇浪偸嘗！
她兩眼似乎在夢中驚悚般地惺忪，
我如醉的心呀也無主而彷徨．
密密地吻着冷額，
密密地淚兒流呀流下了她的素裳！
我從前眷愛過一個姑娘，
我曾經把她的唇浪偸嘗！

她的顫顫的身軀是何等的可憐可愛喲，
我倆的背人的誓詞又是何等的激昂！
熱烈地吻着眸子，
熱烈地淚兒流呀流下了她的素裳！

我從前眷愛過一個姑娘，
我曾經把她的唇浪偷嘗！
她愛我，是含羞而默默喲，
我愛她，是狂暴而披猖！
發狂地吻着紅唇，
發狂地淚兒流呀流下了她的素裳！

我從前眷愛過一個姑娘，
我曾經把她的唇浪偷嘗！

她的鼻子斜貼了我的鼻子喲，
她的心牆築起了我的心房！
迷迷地我倆的情血在交流，
迷迷地淚兒流呀流下了她的素裳！

我從前曾愛過一個姑娘，
我曾經把她的唇浪偷嘗！
如今，如今她棄了我，棄了我，棄了我，棄了我喲，
我是個淒其的孤雁在人海裏徘徊，旋轉，翱翔，
縱自嘯出了冥空的數不清的哀鳴，
縱日度過了冷月的數不盡的虛盈，
那能找回我的愛人呵，
在這個血腥臭惡的屠場！
哦哦！

哦哦！
我的生命之浪花呵，
我的嬌憨的姑娘！

——四——

我獨自迷惘地徘徊，
徘徊在曲曲的江隈。
夕陽斜蕩在柔朧的江心，
西天綴着朵朵的玫瑰！
失意的人呀，
棄戀的人呀，
何須肇着那枯乾的空夢，
在回着甜醉的春醅？
何須想着那美人的紅杯，
做你們入墓的歡陪？

你們所想摟抱的姑娘，
却是浪花尖頂的玫瑰！

我悵望着姑娘，
我揉碎了玫瑰！
我焚了冉冉的蘭香，
我吞了沉沉的浮灰！

我臥在陰森的濕苔，
讓毒蛇咬斷了我的詩才；
是血沉淚雨的新秋之薄暮的征鴻呵！
默受那輕薄的嘲笑的「活該」！

庭前的蘭蕙都欣欣地遍開，

· 142 ·

這原是我的姑娘呵她的手栽！
花前的幽沉的寂寞喲，
花後的驚心的閒猜！
哦哦！幽沉的花前的寂寞！
哦哦！驚心的花後的閒猜！
這一點飄渺的相思呀，
正如火尖的微焰，
正如浪頂的塵埃！

夢裏徜徉着花臺，
醒來無限的悲哀！
失意的朋友呀，
棄戀的朋友呀，
莫再種下苦悶的根苗；

莫再稱下苦悶的情佁！
你們的青春呀是延佇在將來！
你們的青春呀是延佇在將來！

生命原是附在天末的碧雲，
生命原是附在姑娘的香顋。
青春呀是飄逐着波峯的殘絮，
青春呀是花雀的遺糞，
散在死綠的荒苦！

少女呀！
姑娘呀！
我願掃盡那些微的生命與青春，
我不怕受逼一切的禍災！

我情甘狂飲着毒鴆喲，
我關不住那狂燒的狂愛！

——五——

月亮化成綠海，
我還在醉吻你嬌小的姑娘！
我倆的情炎燃在海底，
幽綠的浪花，
飛騰在我倆的身上！

月亮化成青草，
我還在醉吻你嬌小的姑娘！
我倆的情淚滾在墳裡，
嬌碧的草兒，
覆蓋在我倆的墳旁！

月兒呀吐着芳輝，
我倆呀抱着垂淚！
她並不憐惜我們喲，
只管凝笑睨着：
睨着我倆含悲默對！

我扶着她蹕上岡頭，
亂草中，
只有兩個清癯的瘦影在走。
她倦倚着我的胸前，
我輕輕地把她抱摟！
冷風把她的白衣飄揚，

冷風把我的心魂震蕩；
我吻着她那疲乏而緊閉的眸子，
我感覺到她內心的徬徨！

月的臉是這麼癡黃！
她的肉是這麼馨香！
我全身戰慄於愛雨之林中，
我全心戰慄於誘惑之泉旁！

死亡喲！
毀滅喲！
揉碎喲！
我願月兒是個絕大的火爐，
把我倆兒一齊鎔消！

我願月兒是個絕大的炸彈，
把我倆兒一齊炸掉！

「姑娘呵：
我們回去吧！
你看醉了的蟲兒儘呻吟，
月兒也去了！」
她搖頭無語，
祇對着我迷迷半笑，

仙宮

廣州文學會叢書　　實洋四角

「仙宮」，不在於渺茫的太空，也不在於詩人的心靈中；却荒荒凉凉地在南方鬼域的黃氛迷漫裏矗立出來！牠放出了耀銳的光芒，將要透入讀者靈魂的深處！你用純潔的心地去讀牠，總會覺得牠有一種最神秘最奇異的美妙！或者，你後來覺會發笑了：當你恍然「原來如此」的時候。

在這一本文藝叢書中，包含創作七篇；羅西的「召請」和「仙宮」，倪家祥的Lote，祁超的Zero和「燬滅」，薛伯賢的「癲婦之歌」，仟穎準的「離家」，此外有羅西譯稿的「忙經紀浪漫史」。每篇都具有一種特殊的精彩，正如仙宮上羅列的奇珍！所有一切幽沉而尖刻的冷笑，所有一切飛騰而熱情的歡呌，都儘可以在本書中尋求你們應要記着，不要忘了一讀「仙宮」！

廣州文學會一班工匠已經用他們的精誠戰勝一切困難，努力把『仙宮』建造好了！然而他們還有所期待：期待讀者去遊宮！你們戰慄在死灰色地獄的人們喲！讓我們來引渡你到這「仙宮」！

你想：在萬花如繡的原野裏，星月燦爛底湖畔中，或者在深山古刹之間，海天風濤之上；總會有多少東西爲你所感覺到的．這本書正是黃天石先生在這樣一個時候，感着心潮的波動而懷念親愛的未知名底朋友而寫成的．文筆輕鬆細膩，富於詩意；其想象的精美，文境的奇幻，情緒的濃厚，和觀察的細微，一定會使讀者覺得一種特殊的快意的！作者已經把赤心獻出來，希望讀者不要忘記去接受！

易卜生傳

增訂四版　袁振英著

易卜生(H. Iboen)是著名的挪威文學家，偉大的社會改造者；他一生獨立特行，努力在惡社會中奮鬥．一種勇往的精神，確有可爲一般青年的模範！本書著者對于易氏是最有專門研究的，所以本書對于易卜生的生平事蹟和著作等，都詳述無遺，能夠使讀者愈讀愈覺得有趣！現在把牠增訂四版．

何典

廣州文學會校點　每冊實洋五角

這本書是吳稚暉先生做文章的老師．吳先生說：他初做文章，在小書攤上得了一部小書，學了一個訣竅，便是這本何典了．

此書是清乾嘉間上邑張南莊先生原著．他用極蠢俗的俚言土語，描寫人間社會的卑鄙齷齪，有聲有色，寓意深遠．現經廣州文學會從新標點校訂，黃天石鄭天健袁振英和袁昶超都寫了一篇序，更爲全書生色不少．

社會主義與個人主義

王爾德(Oscar Wilde)原著　震瀛譯　每冊二角五分

有人說：「社會主義和個人主義是相承而異途同歸的。」究竟社會主義和個人主義有何種的關係？要解釋清楚，除非參攷這一本書。本書的原著者王爾德，是著名的英國大文豪，他輕視虛榮，道德和財產，以監獄爲研究室。本書便是他對于社會主義和個人主義的精密分析。現在把牠改正再版。

社會問題　罪與罰

美國胡黛蓮女士原著　袁英振譯　（每冊實洋價二角）

人們爲什麼曉犯罪？犯罪者爲什麼要受刑罰？刑罰可以減輕人們的犯罪程度嗎？可以消滅或威壓使人們不敢犯罪嗎？「罪」的成立要素，與社會環境有沒有關係呢？這是社會上一個重要問題。

本書著者胡黛蓮女士是美國著名的思想家。她是個偶像破壞者，有優越的理想，勇往的精神，同時又是一個文學家。她同情于貧民和弱者，她的作品是不朽的，在文學界中有一種特殊的勢力。本書是她的論文，是她的思想底表現。想研究新時代新思想的不可不讀這本書。

來解決一種問題必先要尋出牠病理的所在，這本書對於兩性間的舊制度及其危機，現代婚姻與家庭的改造，都有詳明而嚴肅的討論，儘能夠為未來社會的標準，從新估定倫理的價值，而指示青年光明的途徑。

再版 **革命與進化**

實社叢書　震瀛譯　每冊實洋二角

「革命」和「進化」是有顯然的關係的！革命家都應該知道清楚「革命」與「進化」這兩個連鎖名辭！現在法國有一位鄒司侶，美國有一位麥菲沙合著成這一本書，根據現社會情形，以解剖「革命」與「進化」；並且尋出現社會病理的癥結，指示我們的途向，確有一讀的價值！初版印行二千冊，經已售罄，特請譯者重新改訂，再版付梓。

原稿紙

受匡出版部特製　每本大洋二角

種類：(甲種)雙頁式：全頁二十行，每行二十格。
(乙種)單頁式：全頁十二行，每行三十格。
(丙種)單頁式：全頁十行，每行二十格。
(丁種)單頁式：全頁十六行，每行十五格。

紙質：顏色潔白，質地堅實，故用鋼筆書寫，不沁不漏，用毛筆書寫，寫後卽乾。紙面沒有反光，寫時尤不損目力。

特點：印刷鮮明而美觀；幅面適中而不佔地位；標明行格數目，易于計算；質薄量輕，便于寄遞；橫直格全用點線，每行間均有直行小格，便于改註。

付印：民國十七年一月十日
出版：民國十七年四月一日

定價：每冊實價大洋五角
印數：一——一五〇〇冊

書名 嬰屍
編者 廣州文學會
出版者 粵港受匡出版部 香港中環砵甸乍街三十三號三樓
發行者 粵港受匡出版部 廣州西堤西安輪船辦房孫壽康轉

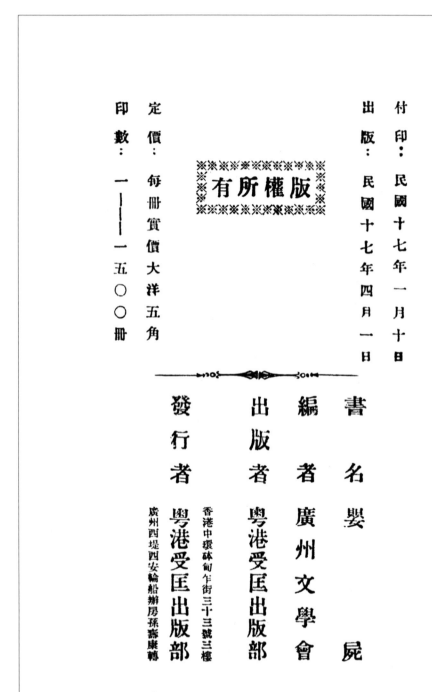

代售處

香港：—	商務印書館	良友圖書公司
	萃文書坊	大東書局
廣州：—	共和書局	民智書局
	丁卜圖書館	創造社分部
上海：—	新月書店	光華書局
北京：—	景山書社	
杭州：—	民智書局	
天津：—	華英書局	博古書局
南京：—	天一書局	南京書店
	中央書局	
重慶：—	北新書局	
雲南：—	新亞書局	
潮洲：—	青年書店	
蘇州：—	文怡書局	
成都：—	華陽書報流通處	
，質 漢口：—	東壁圖書局	
寧波：—	文明學社	
開封：—	文化書社	